O último desejo de Boomer

Universo dos Livros Editora Ltda.
Rua do Bosque, 1589 – Bloco 2 – Conj. 603/606
CEP 01136-001 – Barra Funda – São Paulo/SP
Telefone/Fax: (11) 3392-3336
www.universodoslivros.com.br
e-mail: editor@universodoslivros.com.br
Siga-nos no Twitter: @univdoslivros

SUE PETHICK

O último desejo de Boomer

São Paulo
2017

UNIVERSO DOS LIVROS

Copyright © 2017 by Sue Pethick

© 2017 by Universo dos Livros
Todos os direitos reservados e protegidos pela Lei 9.610 de 19/02/1998.
Nenhuma parte deste livro, sem autorização prévia por escrito da editora, poderá ser reproduzida ou transmitida sejam quais forem os meios empregados: eletrônicos, mecânicos, fotográficos, gravação ou quaisquer outros.

DIRETOR EDITORIAL
LUIS MATOS

EDITORA-CHEFE
MARCIA BATISTA

ASSISTENTES EDITORIAIS
ALINE GRAÇA
LETÍCIA NAKAMURA

TRADUÇÃO
FRANCISCO SÓRIA

PREPARAÇÃO
JONATHAN BUSATO

REVISÃO
CARLA BITELLI
PLÍNIO ZÚNICA

ARTE
FRANCINE C. SILVA
VALDINEI GOMES

IMAGEM DE CAPA
MAT HAYWARD
SHUTTERSTOCK PREMIUM

ADAPTAÇÃO DE CAPA
FRANCINE C. SILVA

Dados Internacionais de Catalogação na Publicação (CIP)
Angélica Ilacqua CRB-8/7057

P633u

O último desejo de Boomer/Sue Pethick; tradução de Francisco Sória.
– São Paulo: Universo dos Livros, 2017.

304 p.

ISBN: 978-85-503-0108-2

Título original: *Boomer's Bucket List*

1. Literatura norte-americana 2. Animais domésticos - Ficção 3. Cachorros – Ficção I. Título II. Soria, Francisco

17-0153 CDD 813

PRÓLOGO

No verão em que completou trinta anos, três coisas mudaram o rumo da vida de Jennifer Westbrook. Ela começou no emprego de seus sonhos, divorciou-se e adotou um cachorro.

– Qual a idade deles? – ela perguntou, observando o amontoado de filhotes saltitantes no cercadinho.

Betty, a mulher que os vendia, sorriu.

– Quatro meses hoje. Essa é a Trixie, a mãe, logo ali.

Ela apontou para uma labradora amarela confusa e agitada que os observava ansiosa a alguns metros dali.

– E o pai?

A mulher deu de ombros, demonstrando irritação.

– Um golden retriever, vive a quase um quilômetro daqui pela estrada. Escapou um dia e veio direto para cá. – Ela sacudiu a cabeça. – Me disseram que é puro-sangue, mas não tem nenhum documento, e o meu negócio é venda de cães registrados, não vira-lata. Cada ninhada que não possa ser vendida por um valor alto é dinheiro que eu deixo de ganhar.

Jennifer olhou ao redor para os canis limpos e organizados que contornavam a modesta casa de fazenda e concordou com a cabeça. Sem dúvida, uma ninhada de filhotes de raças misturadas era um problema para uma cruzadora menor como Betty, mas um vira-lata era exatamente o que Jennifer estava procurando. Ela havia passado metade da vida ouvindo que tudo a seu respeito deveria ser perfeito. Agora que estava por conta própria, tudo o que queria era levar uma vida normal e "imperfeita".

– Em sua defesa – completou Betty –, ele faz bons filhotes. Podem não ser de raça, mas enchem os olhos. – Ela olhou de lado para Jennifer. – Então, quer vê-los mais de perto?

– Acho que sim.

Betty conteve os filhotes para que Jennifer pudesse entrar no cercado. Do outro lado da cerca era difícil distinguir um cãozinho do outro, mas agora, com uma estranha em seu território, a diferença entre os temperamentos começava a aparecer.

Cinco dos seis correram na direção dela imediatamente, pulando e farejando, com lambidas gentis quando Jennifer estendia a mão. Ao se lembrar das dicas que lera sobre escolher um filhote de boa natureza, Jennifer gentilmente colocou cada um deles de costas e segurou por um instante para observar as reações. Todos menos um toleraram o tratamento com bom humor, e agora a escolha estava entre os quatro. Em seguida, ela passou um tempo acariciando e segurando cada um deles, mas em vez de isso ajudá-la a escolher, ela desejou poder levar todos. Então se levantou, sacudindo a cabeça.

– Não sei – ela disse. – Todos eles são um doce. Qual escolho?

Betty deu a ela um sorriso de sabedoria.

– Dê-lhes um minuto – ela disse. – Pela minha experiência, as pessoas não escolhem o cachorro. É o cachorro que as escolhe.

Jennifer estava em dúvida. Com certeza havia formas mais científicas de se escolher um companheiro animal. Ela pensou:

Caixas para olhar, testes a fazer. Mas ali estava ela, e os tais testes apenas fizeram sua cabeça girar. Ela decidiu tentar.

Em menos de um minuto, dois dos filhotes começaram a se afastar e se engalfinhar, e o terceiro atravessou o cercado para derrubar sua irmã de costas. *Eles estavam perdendo o interesse*, pensou Jennifer. E quem poderia culpá-los? A novidade da estranha estava passando.

O último filhote então soltou um suspiro de contentamento e se encostou na perna de Jennifer. Ela olhou para baixo e avistou um par de olhos marrom-chocolate que a encarava com um sorriso afetuoso.

– Parece que essa é a sua resposta – comentou Betty.

– Acho que você está certa – respondeu Jennifer, erguendo o olhar. – Ele tem nome?

– Bem, as crianças o chamam de Boomer, mas você pode dar o nome que preferir.

– Por que Boomer?

A mulher sorriu.

– Ele não fala muito, mas quando fala não dá para ignorar.

Jennifer concordou.

– Então será Boomer.

Ela apanhou o pequeno do chão e lhe deu um abraço. Quando ele se aninhou em seus braços, Jennifer sentiu como se o último pedaço de sua nova vida estivesse entrando no lugar. Um mundo inteiramente novo esperava para ser descoberto.

– Eu e você, Boomer – ela disse. – Vamos viver um monte de grandes aventuras.

CAPÍTULO 1

Era um glorioso dia do fim de verão em Chicago. A umidade que deixara agosto tão insuportável tinha finalmente dado uma trégua à cidade, e a brisa que soprava sobre o lago Michigan trazia a promessa de um fim de semana perfeito. Quando Jennifer saiu de seu escritório, ela mal pôde acreditar na sua sorte. Não havia nenhuma exigência de última hora, nem clientes solicitando sua assistência pessoal, nem nenhuma conferência fora da cidade. Além de algumas coisas para fazer no caminho de casa, na verdade, seu calendário estava abençoadamente livre pelas próximas quarenta e oito horas. Ela mal podia esperar para buscar Boomer e começar.

A creche de cães ficava a uma quadra e meia de distância. Boomer gostava de passar o tempo no Caudas Balançantes, mas ficar do lado de dentro não era o mesmo que do lado de fora, ao ar livre, e Jennifer queria levá-lo consigo em suas atividades. A treinadora afirmara que era bom para os cães ter experiências com pessoas e situações diferentes, e uma caminhada daria a chance de Boomer praticar seus bons modos e cansar um pouco antes da hora do jantar.

A sineta na porta da frente do Caudas Balançantes soou quando Jennifer entrou, iniciando uma sequência de latidos no fundo. A porta que separava a área de abrigo da sala da frente se abriu e Hildy, a coproprietária, apareceu.

– Jennifer! Você chegou cedo. Vai aproveitar esse clima adorável?

– Sim. E achei melhor passar aqui antes para buscar o seu cliente favorito.

O comentário de "cliente favorito" era uma piada interna: a forma de Jennifer reconhecer que, por mais dócil que fosse, seu cachorro às vezes dava bastante trabalho.

Hildy interfonou para a sala de trás e pediu que trouxessem Boomer para a frente da casa.

– O Boomer está indo muito bem ultimamente. Acho que está começando a se acalmar com a idade avançada.

A porta se abriu e a assistente de Hildy trouxe a mistura de labrador e golden retriever.

– Me parece um pouco cedo para isso – disse Jennifer, enquanto Boomer caminhava na sua direção. – Ele fez cinco anos no mês passado.

Hildy parecia confusa.

– Ah. Bem, então ele talvez só esteja cansado.

– Ou talvez – sorriu Jennifer – as aulas de obediência estejam começando a funcionar.

– Sim, com certeza deve ser isso. Bem, vemos vocês dois na segunda. Tchau, Boomer.

– Idade avançada – resmungou Jennifer ao saírem do local. – Você tem sorte de não ser uma mulher, Boomie. Depois de um comentário desses você estaria louco pra pintar o cabelo e aplicar botox.

O centro da cidade estava lotado de funcionários de escritório tentando começar logo seu fim de semana. À medida que ela e Boomer andavam pela calçada, Jennifer reparava a frequência com que os estranhos que passavam por eles sorriam ao vê-lo, e parabenizava-se por ter adotado um animal tão dócil e amável. Boomer podia não ser um exemplo de bom comportamento, mas ele não rosnava nem pulava nas pessoas e era um bom ouvinte quando ela tinha um dia difícil no trabalho. No curto tempo em que estavam juntos, na verdade, Boomer havia se tornado seu melhor amigo.

A primeira parada foi no sapateiro Altimari, para buscar um par de calçados que Jennifer levara para consertar. O sapato de salto alto havia sido a única vítima da fase de mastigar de Boomer quando filhote e, para seu azar, era o par de sapatos mais caro que possuía. De uma forma estranha, o fato de ele ter escolhido um par de sapatos Manolo a fez respeitá-lo ainda mais; Boomer obviamente sabia o gosto da qualidade. Apesar de tudo, ela nunca teve coragem de jogar os sapatos fora, e quando contou para o senhor Altimari que ainda os tinha, ele a encorajou a levá-los à sua loja para ver o que poderia ser salvo. Considerando o tempo que eles passaram encostados sem uso dentro do closet, Jennifer sentiu que não tinha nada a perder.

Lucio Altimari estava em sua bancada de trabalho atrás do balcão quando Jennifer e Boomer entraram. Com uma marreta em uma mão e usando um avental de couro sobre o corpo encurvado, ele parecia uma versão mais velha de São Crispim, o patrono dos sapateiros, cujo retrato era proeminente na parede atrás dele.

– Olá, senhor Altimari – saudou Jennifer ao entrar balançando a porta atrás de si. – Recebi sua mensagem.

— *Ciao bella*! Sim, consertei — respondeu ele com um carregado sotaque da Toscana.

Ele deixou de lado a bota na qual estava trabalhando e se pôs de pé, ajeitando as costas para se aproximar do balcão. Com quase um metro e meio de altura, o cavalheiro de cabelos brancos era bem mais baixo do que Jennifer. Apesar disso, com seus braços fortes e olhos azuis fulminantes, ele ainda era uma figura intimidadora, à sua maneira. Ele cerrou os olhos ao avistar Boomer.

— Ah — ele disse. — *Il distruttore di scarpe*.

O italiano de Jennifer estava enferrujado, mas ela tinha quase certeza que ele acabara de chamar Boomer de destruidor de sapatos.

— Isso foi há muito tempo, e ele realmente sente muito, de verdade. Não é, Boomie?

Boomer pendeu a cabeça, e o senhor Altimari foi para o fundo de sua loja buscar os sapatos. Quando os colocou no balcão, Jennifer perdeu o fôlego. Pareciam novos.

— Estão incríveis — comentou ela, apanhando um deles para examinar. — Nem dá pra imaginar que já foram danificados.

— Faço o meu melhor — replicou o idoso, modestamente. — Não está perfeito, mas não está tão ruim, né?

O sapateiro apresentou a conta e Jennifer deu-lhe o cartão de crédito. Não saíra barato, ela ponderou, mas era muito mais em conta do que comprar um par de sapatos novos. Ao entregar o recibo à cliente, o senhor fitou Boomer e o alertou:

— Eu te perdoo dessa vez — disse ele. — Mas não encoste nos Ferragamos ou vamos ter que conversar, *capisci*?

— Não se preocupe — respondeu Jennifer. — Acho que Boomer aprendeu a lição.

O senhor Altimari embrulhou os sapatos em papel e os colocou com cuidado em uma caixa de sapatos lisa, e esta em uma sacola. Satisfeito por já ter repreendido o cachorro, ele agora podia avançar para seu assunto favorito: ajudar Jennifer a encontrar um marido.

– Então, grandes planos para o fim de semana?

– Ainda não. Para falar a verdade, faz tanto tempo que não tenho um fim de semana inteiro de folga que até esqueci como me planejar.

– Você deveria sair, se divertir – disse Altimari, apontando um dedo torto para ela. – Não vai conhecer ninguém em casa.

Jennifer sorriu e concordou com a cabeça, tentando não se irritar. O senhor Altimari tinha boas intenções, e se ele não sabia nada do seu passado isso era culpa dela. Depois de deixar Vic, ela tinha saído totalmente do seu caminho para refazer a vida: cidade nova, amigos novos, vida nova. Talvez, se não estivesse tão desejosa de se livrar de sua vida antiga, as coisas tivessem sido diferentes, mas agora havia muita coisa em xeque para se arriscar. Até que realmente decidisse abrir a caixa de Pandora, pensou Jennifer, teria que aguentar o papo bem-intencionado.

– Não se preocupe, vou pensar em algo. E, se eu não pensar, tenho certeza de que o Boomer vai.

Boomer olhou para cima e sacudiu sua cauda alegremente.

– Eu sei, eu sei – disse o senhor. – Não é da minha conta.

Ele entregou a sacola.

– *Buona giornata.*

– *Grazie mille*, senhor Altimari.

A porta se fechou quando eles saíram rumo ao mercado. Jennifer sentiu uma rajada de ar com a passagem do trem acima da sua cabeça e fechou os olhos para se proteger da sujeira e das folhas levantadas pelo vento. Só mais duas tarefas, ela pensou, e poderiam ir para casa. Se ela pegasse o jantar no caminho, não precisariam cozinhar nem lavar a louça. O sol demoraria a se pôr. Talvez pudessem ir até a praia brincar com o *frisbee*. E amanhã, ela pensou, acordariam cedo para correr no parque Lincoln. Ela e Boomer não faziam isso havia muito tempo.

Jennifer entrou no mercado enquanto Boomer ficou do lado de fora, sendo acariciado pelos pedestres e assistindo aos carros abrindo caminho no horário de pico do trânsito. Quando ela voltou, o cão procurou em seus bolsos o presentinho que ela sempre comprava como recompensa, então o devorou rapidamente e esperou que Jennifer o desamarrasse. Quando ela segurou a coleira, viu os pelos se eriçando nas costas do cachorro.

– O que foi, Boomie? Algo errado?

Ela olhou para cima e viu um homem que conhecia caminhando na direção deles, falando no celular e carregando uma maleta.

– Ah, não – resmungou ela. – É o Phil.

Ela abaixou a cabeça, pensando no que fazer.

Ai, ai. Que estranho.

Os dois haviam tido um encontro no mês anterior, que terminou quando Phil, que estava bebendo, forçou a barra e Boomer saltou em defesa de Jennifer, mostrando os dentes e tudo, e perseguiu o cara para fora da casa. Verdade seja dita, não foi o momento de maior educação de Boomer, mas Jennifer não podia culpá-lo. De seu ponto de vista, o cara tinha merecido.

Phil estava a poucos metros deles, e ela reconheceria aquele sujeito arrogante em qualquer lugar. Ela olhou para cima e seus olhos se encontraram. Phil fitou Jennifer, depois Boomer e voltou o olhar para ela. Então, sem perder tempo, ele rapidamente mudou de caminho e atravessou a rua. Conforme ele se apressava para longe, Jennifer sorriu. Boomer não era só um cachorro, ela pensou. Era seu grande e peludo guarda-costas.

Era melhor não contar isso para o senhor Altimari.

Depois de uma rápida parada no Chipotle para um burrito e batatinhas, eles entraram na casa de Jennifer. Bolsa, guia e sapatos foram abandonados à porta, e ela levou as sacolas para a cozinha, apoiando-as no balcão. Boomer foi direto procurar seu pote d'água.

– Que dia – ela disse, apanhando um prato de seu armário. – Só uma vez eu queria trabalhar com um cliente que soubesse o que quer antes de eu terminar a campanha publicitária inteira.

Ela serviu-se de uma cerveja light e colocou as batatinhas na mesa.

– Eu falei pro Derek que ele precisava contratar outra executiva se as coisas continuassem assim, e você sabe o que ele me falou?

Ela tomou outro gole de cerveja e apoiou seu prato na mesa.

– Falou que metade dos nossos clientes iria embora se ele tentasse redirecioná-los para outra executiva. Tá bom. Como se isso fosse acontecer.

Jennifer continuou atualizando Boomer das novidades da empresa Compton/Sellwood enquanto comia seu burrito e terminava as batatinhas. Foi só quando ela se levantou para pegar outra cerveja que percebeu que Boomer não estava mais na cozinha.

– Ei, amigo. Aonde você foi?

Ela entrou na sala de estar e o encontrou deitado no sofá. Boomer ergueu a cabeça e abanou a cauda uma vez, sem se dar ao trabalho de levantar.

– Pobrezinho. Você está bem cansado, não é?

Jennifer colocou a mão ao seu lado e acariciou a pelagem macia.

– Todos aqueles parceiros na creche devem ter te esgotado.

Jennifer fez uma careta. Eles estavam em casa há quase meia hora, e Boomer ainda estava ofegante. Pensou que poderia ser o calor, mas o coração dele também parecia estar batendo mais rápido do que o normal. Lembrando-se do comentário de Hildy sobre Boomer andar mais cansado que de costume, ela se perguntou se ele poderia estar doente.

— Vamos combinar assim: por que não ficamos em casa hoje? Vou tomar um banho, botar o pijama e te encontro aqui no sofá. Podemos encontrar algo legal na Netflix.

Ela passou a mão por baixo da coleira para averiguar se ele não estava febril e subiu as escadas. De qualquer maneira, Boomer tinha uma consulta de rotina agendada para a próxima semana. Ela perguntaria ao doutor Samuels a respeito quando o levasse. Enquanto isso, não se permitiria ficar preocupada com algo assim. Provavelmente não era nada.

CAPÍTULO 2

As pessoas fazem uma série de coisas diferentes quando estão nervosas. Jennifer estava ocupando seu tempo ainda mais do que de costume. Sentada no consultório do veterinário naquela manhã, à espera do resultado dos exames de Boomer, ela estava respondendo e-mails, checando suas mensagens no telefone e organizando seu talão de cheques – qualquer coisa que a impedisse de cogitar o pior.

Ela estendeu a mão e o acariciou.

– Provavelmente não é nada – ela sussurrou. – Não precisa se preocupar.

Mas ela estava preocupada. Quando trouxera Boomer para sua consulta de rotina anual e mencionou casualmente que ele parecia mais cansado que o normal, ela esperava que o doutor Samuels desse ao cãozinho uma injeção de vitaminas. Em vez disso, o veterinário pediu que fizesse uma bateria de exames em Boomer, que durou metade do dia e precisava da interpretação de um especialista. Ela suspeitava que Samuels estivesse exagerando, mas ele foi tão insistente que ela concordou. Agora, sentada em seu consultório uma semana depois, Jennifer quase desejava não ter aceitado. Afinal, Boomer era apenas uma criança. Não poderia haver nenhum problema *realmente* sério com ele, poderia?

A porta da sala de exames se abriu e a assistente do doutor Samuels pediu que entrassem. Morena e na casa dos trinta anos, a mulher se vestia como uma adolescente e falava com uma voz risonha que subia de tom no final de cada frase. Exatamente o tipo, pensou Jennifer amargamente, que faria seu ex-marido, Vic, babar. Boomer olhou para cima e grunhiu com a garganta enquanto Jennifer desligava o computador. Ela talvez não devesse julgar alguém tão rápido, pensou, mas Boomer também não parecia gostar da moça, e ele era um excelente juiz de caráter.

— Parece que é a nossa vez, Boomski — ela disse. — Vamos lá.

A porta mal havia se fechado atrás deles quando o doutor Samuels entrou. Pela expressão em seu rosto, Jennifer soube que eram más notícias. Seu coração começou a bater mais rápido, e ela se aproximou de Boomer como se pudesse protegê-lo do que estava por vir. Samuels apertou sua mão e acariciou Boomer amigavelmente.

— Obrigado por voltar. Eu sei que foi difícil ter que esperar, mas eu quis garantir que não deixei escapar nada antes de discutirmos o resultado dos exames.

Ele olhou para a ficha de Boomer, então limpou a garganta e a colocou de lado.

— Esse não é o tipo de notícia que gosto de dar aos meus pacientes — ele disse com tristeza. — Gosto de pensar que posso salvar todos os animais que entram aqui. Infelizmente, no entanto, não é o caso.

Lágrimas começaram a brotar dos olhos de Jennifer e um nó se formou em sua garganta conforme Samuels prosseguiu.

— Quando você trouxe Boomer na semana passada, eu detectei um murmúrio sistólico e suspeitei que pudesse haver algo de errado com o coração dele. Seu comentário de ele parecer mais cansado do que de costume aumentou minha suspeita, mas sem mais exames não havia como saber o que estava errado.

Jennifer respirou fundo e desejou conseguir se acalmar.

– Então, qual é o problema?

– Boomer tem CMH, ou cardiomiopatia hipertrófica. É um espessamento das paredes do coração que reduz a quantidade de sangue ejetada durante a fase de contração. Conforme o corpo do animal começa a ficar sem oxigênio, o coração bate mais forte, ainda mais estressado. Eventualmente, o animal desenvolve uma falha cardíaca.

Ele pausou, esperando que Jennifer fizesse outra pergunta, mas ela não conseguia pensar em nada.

– Mas ele nem parece doente...

– Eu sei. E Boomer provavelmente não se sente doente também, pelo menos não da forma como eu ou você nos sentiríamos. Ele pode não conseguir pular ou correr como antes, mas provavelmente não vai perceber nada, e a boa notícia é que ele não está sentindo nenhuma dor.

Tudo bem, disse Jennifer para si mesma, esse podia não ser o resultado que ela estava esperando, mas também não era o fim do mundo. No trabalho, ela tinha a reputação de conseguir resolver os maiores problemas para os clientes mais difíceis. Tudo que ela precisaria fazer era aplicar esse talento para consertar o problema de Boomer e tudo ficaria bem. Falha cardíaca era tratável e ela tinha dinheiro guardado. O que quer que ele precisasse – de uma dieta especial, remédios, exercícios –, ela pagaria contente. Faria de tudo para manter seu garoto vivo.

– Certo. E como resolvemos isso, para Boomer voltar a ser como era antes?

O veterinário deu um olhar piedoso a ela e lentamente balançou a cabeça.

— Acho que não fui claro o bastante. Perceba, a condição de Boomer está muito avançada; ele já passou da fase onde diuréticos ou qualquer outra intervenção poderia ajudar. Tudo que você pode fazer agora, receio, é garantir que ele fique confortável para aproveitar o tempo que lhe resta. Sinto muito.

— Não pode ser verdade – ela explodiu, parecendo estar com mais raiva do que gostaria. – Meu avô viveu por anos com falha cardíaca.

Samuels acenou pacientemente com a cabeça.

— Imagino que sim, mas o coração dos humanos é diferente. Olha, se você quiser falar com o cardiologista veterinário, ficarei feliz de arranjar uma consulta por telefone, mas eu e ele examinamos o resultado dos exames com bastante cautela e nenhum dos dois teve dúvida. Na melhor das hipóteses, achamos que Boomer tem no máximo um mês de vida.

Jennifer ficou com dificuldade de respirar; era como se todo o ar da sala tivesse se esvaído.

— Um mês? – disse ela, lutando para manter a voz firme. – Não é tempo o suficiente. Tem tantas coisas que ainda não fizemos, coisas que eu prometi a ele que faríamos um dia.

Ela sabia que estava balbuciando, mas não conseguia parar.

— O trabalho tem sido puxado e eu adiei algumas coisas, mas o Boomer tem só cinco anos e é o meu melhor amigo e, e... – as lágrimas corriam pela sua bochecha – ele é tudo que tenho.

Samuels também estava tentando não chorar. Ele deu um passo à frente e a abraçou gentilmente.

— Eu sei como você se sente, perdi minha boston terrier para CMH quando ela tinha só dois anos. É uma condição rara em cães, e eu torci muito para estar enganado. A única coisa positiva que posso dizer é que você pelo menos sabe o que está por vir. Na maioria dos casos, o primeiro sintoma é o ataque cardíaco.

Jennifer concordou, limpando as lágrimas com um fraco sorriso forçado.

— Devo ser grata pelas pequenas bênçãos.

— Exatamente.

Ela olhou para Boomer, que a observava com um olhar preocupado.

— Tem alguma coisa que eu possa fazer? - ela perguntou. - E se eu mudasse a dieta dele?

Samuels sacudiu a cabeça.

— Você deve deixá-lo descansar um pouco mais. Fora isso, pode evitar estressá-lo. E, quando o fim chegar, prometo que será rápido e relativamente indolor.

Jennifer saiu do consultório veterinário puxando Boomer, alheia ao mundo ao redor, como uma sonâmbula. Ela sempre soube que perderia seu cachorro um dia, mas se arrependia muito ao perceber quanto de sua curta vida ela já tinha perdido. Enquanto ela passava noites e fins de semana no trabalho, o tempo de Boomer na Terra se esgotava. Agora parecia que todos os sonhos adiados lhes tinham sido roubados. Quando voltaram para o carro, ela se sentou atrás do volante e chorou.

— Sinto muito, Boomie - ela soluçou, abraçando-o. - Vou compensar tudo para você de alguma forma. Prometo.

Uma hora depois, Jennifer estava de volta em casa, já pensando em como manter sua promessa. Com os olhos secos e determinada, ela estava trabalhando em um plano. Pegou um bloco de folhas e uma caneta. No alto da primeira página escreveu: *Coisas para fazer com o Boomer*. Se o seu garoto tinha apenas um mês de vida, ela fazia questão de garantir que fosse o melhor mês de todos. Ela iria carregar o carro e eles iriam pegar a estrada, só os dois, fazendo tudo que ela tinha pensado que fariam "um dia".

Sobre tirar um tempo do trabalho, pensou Jennifer, ela tinha sorte. Seu trabalho como executiva de contas de uma das melhores empresas de relações públicas de Chicago era um diferencial e, pelo tempo que ela se dedicava, eles estavam em débito com ela. O presidente, Derek Compton, faria uma cena, é claro, mas, de seu ponto de vista, ele não tinha escolha. Havia dois CLIOs, um ADDY regional e um Leão de Cannes no armário de troféus que eram reconhecidos amplamente como ganhos para a empresa por mérito do trabalho dela. Ele poderia lhe dar uns dias de folga, ou ela se demitiria e iria trabalhar para um dos concorrentes quando voltasse.

Com esse problema resolvido, a questão se tornava o que ela e Boomer deveriam fazer em seu mês juntos. Hildy disse que ele estava mais lento nas últimas duas semanas, e o doutor Samuels avisou que ela poderia esperar mais do mesmo dali por diante. Jennifer lançou um olhar para seu cachorro, que estava feliz encolhido em sua cadeira favorita, destroçando um brinquedo de mastigar.

— Desculpe, Boom-Boom. Parece que a Trilha Apalache está fora.

Ela voltou a sentar, buscando em sua memória os momentos que Boomer mais tinha aproveitado. Como todo cachorro, ele adorava comer, brincar e caçar esquilos, mas o que, especificamente, fazia sua cauda balançar?

Bem, ela pensou, ele adorava carros – os que passavam pela rua e, é claro, as mirabolantes corridas NASCAR na televisão – e ficava enlouquecido quando saíam de carro e Jennifer o deixava colocar o nariz para fora da janela para que ele aproveitasse o cheiro ao redor. Ele amava o barulho alto dos motores e cheirar poças de óleo que encontrava na rua. Tinha até mesmo um brinquedo barulhento que parecia o Relâmpago McQueen do filme *Carros*.

— Bom — disse ela, escrevendo o primeiro item de sua lista. — Algo relacionado a carros. O que mais?

Depois de mais dez minutos tentando pensar, Jennifer parecia ter travado. Ela seguia pensando nas coisas que desejavam fazer, mas nenhuma parecia grande ou importante o bastante para compensar o quanto ela sentia ter negligenciado Boomer. Conforme perdia a confiança, começou a se sentir desencorajada novamente. As lágrimas se empoçaram em seus olhos quando ela ouviu Boomer pular de sua cadeira e vasculhar sua caixa de brinquedos. Segundos depois, ouviu o barulho familiar do Relâmpago McQueen. Jennifer se virou e avistou Boomer vindo em sua direção com o brinquedo na boca, com um olhar esperançoso que a desafiava a tentar tirá-lo dele.

— Sim, eu sei — ela disse. — Já coloquei carros na minha lista, mas o que mais, Boomster? Nós não podemos entrar no carro e dar cem voltas no quarteirão. Já que vamos pegar a estrada, temos que ir para algum lugar.

Então ela entendeu: *Carros*! O filme era sobre dirigir na Rota 66, que, por coincidência, começava em Chicago e se estendia pelo país até a costa da Califórnia. Se ela e Boomer pegassem a Rota 66, eles veriam coisas interessantes, se empanturrariam de comidas regionais e se jogariam no oceano Pacífico quando chegassem no píer de Santa Mônica. Devia haver mapas e guias de viagem mostrando tudo que poderiam visitar no caminho. Ela agarrou o brinquedinho barulhento e os dois começaram uma guerra de puxar.

— O que você diz, Boomer? Quer botar as patas na Rota 66?

CAPÍTULO 3

A previsão de Jennifer sobre seu chefe se tornou verdade no dia seguinte, quando contou a ele seu plano de tirar um mês de licença. Ela sabia que ele não ficaria feliz com isso, mas não esperava uma recusa direta de seu pedido. No momento que ela e Derek Compton pararam de gritar um com o outro, todo o escritório estava observando. Apesar de tudo, ela estava certa de que eles não desejavam perdê-la. Quando mencionou que o estresse de perder Boomer estava forçando-a a "rever suas prioridades", ele cedeu, interpretando corretamente como uma ameaça de demissão. Quando ela saiu pelo corredor de volta à sua sala, se sentiu como um boxeador deixando o ringue: machucado, abatido, mas vitorioso.

Stacy Randall observou Jennifer passar por sua mesa, maravilhada. Como administradora do departamento, Stacy tinha sido o alvo da fúria de Compton em mais de uma ocasião, e o fato de que alguém levara a melhor sobre ele parecia mais um milagre. Ter sido Jennifer Westbrook a conseguir isso, uma linda ex-modelo com um passado misterioso, era só a cereja do bolo. Quando Jennifer a chamou em seu escritório, Stacy apanhou um bloco de notas e se apressou pelo corredor, torcendo por uma boa fofoca.

— A essas alturas, todo mundo por aqui já ouviu que vou tirar o próximo mês de folga – disse Jennifer ao fechar a porta. – Vou precisar que cuide de algumas coisas para mim enquanto estou fora.

— É claro – disse Stacy, sentando-se, com a caneta preparada.

— Como vou sair assim de repente, qualquer coisa no meu calendário para o próximo mês vai precisar ser reagendada ou transferida para outra pessoa.

— Sem problemas.

— Mike Kuby pode fazer a apresentação do Bewick sem mim. Vou mandar minhas anotações por e-mail para ele antes de ir.

Jennifer sentou-se parecendo pensativa ao remexer os papéis em sua mesa, e Stacy ponderou se havia algum detalhe pessoal que ela deixara passar.

— E quanto às coisas em casa? – ela disse. – Você sabe, pedir pra não entregarem o jornal, o lixo, pedir pro correio segurar a sua correspondência...

— Meu Deus – disse Jennifer levando as mãos à cabeça. – Nem pensei nisso. Acho que vou tentar resolver tudo antes de sair de manhã.

— Posso fazer isso para você – respondeu Stacy, esperançosa.

— É muito gentil da sua parte, Stace, mas não posso te pedir tanto assim.

— Ah, não tem problema – ela falou, sorrindo. – Fico feliz em ajudar. Você já tem tanto com que se preocupar com o Boomer e... hum... você sabe.

Ela deu de ombros, esperando não ter ofendido.

— Posso regar suas plantas também, se quiser. Já fiz isso para os meus vizinhos antes, e eles me recomendariam.

Jennifer viu o olhar suplicante de Stacy e suspirou. Ela sabia há algum tempo que a administradora ficava deslumbrada com as clientes de alto padrão que passavam pelas portas da Compton/Sellwood. Talvez ela tivesse sido tola o bastante de ouvir alguns rumores mais selvagens sobre Jennifer que circularam pelo escritório e achasse que um pouco da magia poderia respingar nela. Apesar de precisar da ajuda, ela detestaria tirar vantagem da jovem encantada.

– Você tem certeza? – ela disse.

Stacy sorriu.

– Tenho!

– Tudo bem, mas só se você me deixar pagar pelo seu tempo.

– Não precisa – respondeu Stacy. – Mas obrigada.

Jennifer concordou.

– Tenho um segundo conjunto de chaves de casa no meu armário. Vou deixá-lo com você antes de sair à tarde.

Com isso resolvido, Jennifer se sentiu instantaneamente mais aliviada, e lhe ocorreu que a oferta de Stacy havia resolvido um problema do qual ela só se lembrava subconscientemente. Estava pronta para dispensar a administradora e voltar ao trabalho quando Stacy perguntou:

– Você passou seu itinerário para alguém?

– O quê?

– Você sabe, a lista de onde e quando você vai. Se alguma coisa acontecer com você no caminho, a polícia vai saber onde procurar o corpo.

Jennifer tentou não rir. Claramente Stacy estava assistindo episódios demais de *Law & Order*.

– Realmente não acho que seja necessário. Boomer e eu ficaremos bem sozinhos.

— Mas e se o carro quebrar no meio do nada e você não tiver sinal no telefone? Você pode ficar desaparecida por semanas sem comida e água antes de alguém notar que você sumiu.

Jennifer estava prestes a insistir que havia pessoas o bastante que notariam sua ausência, quando lhe ocorreu – com uma fisgada de tristeza – que não era o caso. Seu pai tinha falecido quando ela ainda estava no ensino médio, e sua mãe estava em um asilo, incapaz de se lembrar que dia era. Ela e Vic tinham se separado havia quase seis anos, e ele e sua nova esposa viviam em algum lugar de Michigan e não se preocupariam com ela. Um de seus vizinhos poderia notar sua longa ausência, mas, como a maioria dos moradores de apartamento, ela mal os conhecia para além de um cumprimento esporádico. Quando a realidade de sua vida pessoal vazia a atingiu, Jennifer sentiu o calor subir em seu rosto. Não era de se estranhar que passasse tanto tempo no trabalho. Era a única vida que ela tinha.

E agora iria perder o Boomer também.

– Não, se eu tiver um itinerário vou ter que me ater a ele, e eu e o Boomer queremos rodar um pouco por aí. Além disso – ela completou timidamente –, não tenho ninguém para quem passar meu itinerário.

Stacy ergueu o olhar de seu bloco.

– Você pode passar para mim.

Jennifer sacudiu a cabeça, tentando não demonstrar sua irritação.

– Aprecio sua preocupação, mas não tenho nem tempo de preparar um, obrigada.

– Bem... você pode só tirar umas fotos da viagem e mandar para mim. Assim alguém vai saber por onde você andou, e não precisa escrever nada. Por favor – pediu Stacy. – Eu me sentiria muito melhor se você fizesse isso.

A exasperação estava rapidamente azedando o humor de Jennifer, mas apesar disso ela precisava concordar que Stacy tinha razão. Ela já planejava tirar fotos de Boomer para se lembrar da viagem, e encaminhá-las à administradora não tomaria muito mais tempo. Além disso, tinha que admitir que a ideia de estar na estrada sem que ninguém soubesse sua localização lhe dava uma sensação assustadora. Uma mulher sozinha, ainda que com um cachorro, poderia ser bastante vulnerável.

– Tudo bem. Se isso faz você se sentir melhor, eu te mando as fotos pelo caminho, mas isso é tudo. Prometi que essa viagem seria só minha e do Boomer. Nas próximas semanas estarei off-line: sem e-mail, sem mensagens de texto, sem mídia social. Se tiver uma emergência, estarei com o meu celular, mas não ouse me ligar por algo menor que uma guerra nuclear na zona norte de Chicago – ela pausou. – Talvez nem por isso.

Stacy sorriu.

– E se tiver uma guerra nuclear na zona sul?

Jennifer sacudiu a cabeça.

– Não moro na zona sul.

O resto do dia passou como um borrão. Assim que a notícia de que Jennifer Westbrook estaria incomunicável pelas próximas semanas correu, cada membro do time e cada cliente com alguma dúvida ligou, mandou mensagem ou veio ao seu escritório exigindo atenção. Stacy saiu e voltou com uma salada verde para Jennifer almoçar em sua mesa durante uma conferência com Boston e tentou redirecionar o fluxo de gente procurando a senhorita Westbrook. Quando Jennifer saiu de seu escritório, às seis, jurou matar quem entrasse em seu caminho. Apanhou a bolsa, jogou as chaves de casa na mesa de Stacy e se apressou pelo corredor.

Derek Compton estava à sua espera no elevador.

– Então você está nos deixando – ele disse.

– Não faça isso parecer tão definitivo – replicou Jennifer, apertando o botão para descer. – A menos que, é claro, você tenha mudado de ideia sobre me demitir.

– É claro que não. Só não estou empolgado com passar as próximas semanas sem você. A Stacy disse que você nem vai estar on-line.

– Ela está certa – respondeu, desejando que o elevador se apressasse.

Ele concordou, mexendo a boca de forma a sugerir que estava se controlando para não explodir.

– Bem, as circunstâncias não são as melhores, é claro, mas espero que você e Boomer se divirtam.

Jennifer acenou com a cabeça. Os números sobre a porta do elevador estavam passando muito lentamente. Aquela maldita coisa devia estar parando em cada andar.

– Obrigada.

– Você disse que o Boomer gosta de carros – ele levou a mão ao bolso do paletó –, então trouxe para vocês um presentinho de despedida.

Ela olhou para o envelope na mão de Compton e seus olhos se arregalaram. Parecia um ingresso VIP para o circuito de corridas Chicagoland Speedway.

– Isso é o que eu acho que é?

– Sim. Cal Daniels me convidou, mas, quando contei sobre o seu cachorro, ele concordou em deixar vocês dois assistirem à corrida de domingo do camarote particular. Ele até ofereceu mandar o motorista da limusine para levar e buscar vocês.

Ela abriu o envelope e retirou o ingresso, fitando o holograma brilhante na frente com as letras VIP em ouro. A pista era bem na Rota 66, e Boomer iria adorar assistir à corrida, ela pensou. E, se eles partissem no domingo, em vez de amanhã como planejado, ela teria um dia a mais para fazer as malas e se aprontar. Ao guardar o ingresso de volta no envelope, Jennifer teve que se conter para não chorar. Digam o que quiserem sobre Derek Compton, mas ele tinha um bom coração.

– Obrigada – ela sussurrou. – Por nós dois.

CAPÍTULO 4

Nathan Koslow pressionou a orelha contra o telefone, esforçando-se para ouvir a voz de seu irmão. Entre a conexão precária e o clamor das pessoas na sala de notícias, ele mal podia entender o que Rudy estava falando.

– Espere um segundo – disse Nathan. – Tem muito barulho aqui.

Ele pôs a mão sobre o fone e procurou em sua sala cavernosa um lugar que oferecesse paz e tranquilidade.

A redação do jornal era uma colmeia de atividade naquela hora. Com os prazos se esgotando, os repórteres martelavam histórias e latiam para os estagiários apertados em seus cubículos. Impressoras e aparelhos de fax cuspiam papéis, os telefones tocavam sem ninguém atender e editores de seção andavam inquietos, com os rostos sem cor sob a luz fluorescente que piscava sobre suas cabeças. Era um espaço vibrante, caótico – e Nathan amava aquilo, mas definitivamente não era o lugar apropriado para se manter uma conversa.

Ele olhou de soslaio para o escritório vazio da editora do seu setor, uma das seis salas com paredes de vidro que contornavam a redação, e sorriu. Julia Mikulski não gostava que os repórteres invadissem seu espaço enquanto ela estava fora, mas isso era uma emergência.

— Te ligo de volta em um minuto — disse ele e desligou.

Nathan parou na porta de Julia e bateu antes de entrar, no caso de ela estar nos fundos ou no chão, fazendo um de seus movimentos de ioga para aliviar o estresse. Julia praticava ioga como um bêbado praticava a sobriedade: era algo para se tentar em momentos de crise, mas não muito divertido a longo prazo. Quando ninguém respondeu, Nathan se esgueirou para dentro do escritório, ligou o computador e pegou o telefone. Rudy respondeu na primeira tentativa.

— Você foi naquele site?

— Ainda não — resmungou Nathan. — Preciso entrar no sistema antes.

A mesa de Julia estava coberta de papéis, amontoados como sedimento, acumulados ao longo dos anos que ela trabalhava na *Tribuna*. A camada superior consistia de anotações manuscritas e mensagens de telefone; abaixo estavam cópias de artigos já editados que o jornal publicaria naquela semana; então, ideias para histórias em que trabalhariam nos próximos meses, avançando cada vez mais para o futuro conforme se afundasse na pilha. Qualquer coisa abaixo disso seria melhor deixar para um arqueólogo.

Ele entrou no computador central com o nome de usuário e senha que Julia tinha, por sorte, deixado anotado em um adesivo na beira da tela.

Quem liga para segurança?

— Certo — ele disse. — Não entendi metade do que você disse antes. Comece do princípio. Você comprou um carro…

— Não um carro, Nate, um maldito Mustang GT. Tem um motor V8 com 435 cavalos de potência, um sistema de som de última geração, bancos de couro, sistema de navegação, perfeito. Foi um roubo também. Não acho que o dono da concessionária seja muito esperto, para ser sincero, mas, ei, isso não é minha culpa.

– Um conversível?

– Você está brincando? É claro que é um conversível. Você não acha que eu iria mudar pra Califórnia para dirigir um sedan, não é?

Nathan revirou os olhos. Parecia que todas as últimas aquisições de seu irmão precisavam estar alinhadas com seu recém-descoberto estilo de vida da costa oeste. Desde que se mudara para lá, Rudy começou a dirigir filmes sanguinolentos de terror de baixo orçamento, com títulos como *Putas Zumbis de Hollywood* (Elas nunca comem e saem correndo!) e *Massacre na Rua 34*, e, a julgar pela quantidade de dinheiro que ele estava desperdiçando, filmes sem nenhum valor social estavam pagando muito bem ultimamente.

O sistema tinha aceitado a senha de Julia. Nathan abriu o navegador e digitou o endereço do site. Quando apertou enter, a tela foi preenchida por uma foto enorme de um carro esportivo azul safira, brilhando como um diamante à luz do sol. Ele quase podia ver Rudy dirigindo com a capota abaixada pela Sunset Boulevard.

– Mano – suspirou Nathan. – Esse é um carro fantástico.

– Eu sei, né? – disse Rudy, obviamente feliz de ter causado uma boa impressão. – Eu mal posso acreditar que tive que ir até Chicago para encontrar um desses.

– Então por que você não pega um voo para cá e leva ele você mesmo?

– Já disse – estou na pré-produção do *Prima Betsy é uma Vampira Chupadora de Sangue*.

– O vendedor não pode entregar aí?

– Ele pode – respondeu seu irmão. – Mas iria me custar bastante dinheiro, e ele não pode me prometer quando entrega. Se você vier dirigindo até Los Angeles, só vai me custar o dinheiro do combustível e algumas noites em um hotel barato.

Nathan riu.

– Então você gasta dinheiro à toa e economiza nisso?

– Vamos lá, maninho, me ajuda nessa – pediu Rudy. – Além do que, você adora dirigir, e esse carro é um ímã de garotas. Se você souber ficar quieto, pra variar um pouco, pode até se dar bem.

Nathan olhou para a tela do computador, clicando nas fotos do Mustang que o vendedor havia postado em seu site. Rudy estava certo, era uma beleza muito além de qualquer coisa que Nathan pudesse pagar. Além disso, o comentário sobre um ímã de garotas tinha seu apelo. Ele poderia não possuir a lendária vida amorosa da qual seu irmão se gabava, mas passava bem. Só estava em uma fase entre relacionamentos... Todo mundo passa por uma seca de vez em quando. O problema era que a seca de Nathan parecia estar se estendendo demais.

Ele mordeu o lábio. Não estava só entre relacionamentos. Desde que perdera sua coluna regular, ele era um franco-atirador na *Tribuna*, e trabalhos regulares apareciam cada vez menos. Se conseguisse vender para Julia a ideia de uma série sobre viagem que ele pudesse escrever da estrada, garantiria para si uma semana de trabalho e um pouco de diversão ao sol.

– Combinado. Fale para o vendedor que eu vou buscar amanhã.

Os olhos de Julia Mikulski se arregalaram.

– Você quer fazer *o quê*?

A editora de Nathan voltou para seu escritório de mau humor, o que só piorou com a suspeita de que alguém tinha usado seu computador sem permissão. Ao sentar atrás de sua mesa, cheirando ao cigarro que tinha fumado na calçada com os outros párias fumantes, ela parecia fechada à ideia de deixar um de seus repórteres da seção Vida & Estilo tirar uma semana do trabalho, e não importava quantos artigos de viagem ele prometesse mandar para ela. Quando o olhar dela endureceu, Nathan abriu seu melhor sorriso de vencedor.

— Dirigir o carro do meu irmão até Los Angeles. Ele comprou de um vendedor aqui em Downer's Grove e o cara não entrega para fora.

Não era exatamente verdade, mas não era como se ela fosse atrás dos fatos nessa história.

— E quanto tempo isso vai levar? — ela perguntou.

Ele deu os ombros.

— Uma semana? Depende de quantas boas histórias eu conseguir pelo caminho.

A iluminação acima fazia a cara fechada de Julia parecer ainda mais horrenda. Trabalhar em um jornal era estressante. A competição com a internet e as notícias 24 horas na televisão significavam que mesmo jornais como a *Tribuna* estavam com dificuldades, mas o fumo e a atitude indiferente em relação à própria saúde a faziam parecer velha antes do tempo. Ela se sentou de novo e olhou longamente para o computador. Nathan sabia que ela suspeitava que ele o tinha usado, mas, a menos que a polícia viesse e procurasse impressões digitais, ela não teria uma confissão. Doze meses fingindo interesse em coisas como círculos de tricô e festas de gala na orquestra tinham ensinado muito bem a ele como disfarçar suas expressões.

— Tudo bem — disse ela por fim. — Você pode ir.

Nathan soltou a respiração que estava segurando.

– Obrigado.

Ainda que estivesse relutante em colaborar com seu irmão, depois de concordar em ir, a perspectiva se tornara irresistível. Uma semana em um carro esportivo, sentindo o vento em seus cabelos, com uma bela loira ao seu lado...

– Nesse caso – disse Julia, escavando pelo sedimento em sua mesa. – Eu tenho uma ideia do que você pode trabalhar enquanto estiver na estrada.

A expressão dele murchou.

– Você tem?

Ela cavou pelas camadas um pouco mais e puxou uma folha de papel das profundezas, apresentando-a como um mágico que tira um coelho de sua cartola.

– Rota 66 – disse ela, lendo a anotação à sua frente. – Você pode dirigir daqui até o píer de Santa Mônica. Um monte de histórias interessantes no caminho também, aparentemente. Você pode encontrar um monte de histórias de interesse público.

Ela jogou o papel para ele, que fez um arco gracioso sobre a mesa até pousar a seus pés no chão.

Nathan o apanhou e recolocou sobre a mesa.

– Não.

– Por que não?

– Porque não existe, e eu prefiro me manter na interestadual.

– Como assim não existe? As pessoas falam sobre dirigir na Rota 66 o tempo todo. Você está me dizendo que alguém tirou ela de lá?

Ele se moveu para a frente, sacudindo a cabeça. Como explicar isso para uma mulher que nunca saiu da cidade em que nasceu e muito menos dirigiu um carro?

— Não, ela ainda está lá. Mas, quando o sistema de interestaduais foi construído, a velha Rota 66 se tornou obsoleta. Partes dela pararam de receber reparos. Nem tenho certeza se ainda é possível chegar à costa oeste por ela.

Julia pegou o papel e o estudou cuidadosamente.

— Aqui diz que é.

— Bem, então talvez seja, mas eu garanto que vai levar muito mais tempo até a Califórnia por ali.

O sorriso dela era feroz.

— Então por que você não faz uma tentativa e vê o que acontece?

Os olhos de Nathan se estreitaram. O que estava acontecendo? Quando ele entrou e pediu permissão para tirar uma semana, Julia agiu como se o departamento inteiro fosse entrar em colapso sem ele, e agora tudo que ela estava fazendo era insistir que ele aceitasse uma missão que o afastaria de sua mesa por praticamente duas semanas. Um ar de suspeita surgiu em sua voz.

— Achei que você não pudesse ficar sem mim aqui por tanto tempo.

— Bom, isso foi quando eu pensei que você estaria se divertindo em Los Angeles — disse ela sorrindo. — Desse jeito eu tenho certeza de que você vai trabalhar bastante.

— Tudo bem, está certo — disse ele tomando o papel da mão dela. — Vou pegar a Rota 66 e ver se tem algo lá digno de reportagem. Só não me culpe se for uma furada.

— Aceito — ela disse. — Quando você parte?

— Eu disse a Rudy que pegaria o carro amanhã, mas não sei quanto tempo isso vai levar. Talvez amanhã, talvez no dia seguinte.

— Vá depois de amanhã. Morty está gripado e ainda preciso do artigo que ele estava escrevendo sobre a garota que vai dirigir no Chicagoland domingo. Te mando por e-mail o ingresso dele.

Nathan sorriu. Ele não ia ao circuito de Chicago havia alguns anos; seria divertido ver os rapazes da sala de imprensa ficarem verdes de inveja ao vê-lo dirigindo um Mustang.

– Fechado. Eu assisto à corrida e escrevo o artigo assim que chegar ao hotel.

Ele se levantou e saiu em direção à porta.

– Esse irmão que você vai visitar é o diretor de cinema, certo?

Nathan fez que sim.

– Rudy, ele mesmo.

– Diga a ele que, se estiver precisando de um roteiro, tenho algumas ideias por aqui.

Ela sorriu docemente e Nathan sentiu seu estômago estremecer. De acordo com Rudy, havia mais pretensos roteiristas em Hollywood do que carros na avenida no horário de pico. Além disso, ela ao menos sabia o tipo de filmes que seu irmão dirigia?

– É claro – ele respondeu, tentando parecer animado. – Digo a ele assim que chegar lá.

Nathan havia quase atravessado a soleira da porta quando ouviu a voz de Julia novamente.

– Ah, e Nathan? Mantenha suas patas longe do meu computador.

CAPÍTULO 5

Se Nathan tinha nutrido alguma ilusão de impressionar as pessoas com o Mustang de seu irmão, elas foram rapidamente destruídas quando ele chegou ao circuito. Não importava o que estivesse na pista, cada carro e caminhão no próprio estacionamento tinha sido customizado de tal forma a ridicularizar o termo "condições de estar na rua". Dirigir no estacionamento de imprensa era como manobrar um bote entre um grupo de porta-aviões.

Ele estava saindo do carro quando uma limusine passou. A multidão lançou olhares curiosos, tentando ver de relance a pessoa ou pessoas por trás das janelas escuras. *Pode ser uma celebridade ou um dignitário visitante*, pensou Nathan, talvez ambos no mesmo carro – e isso não seria algo sobre o que escrever? Ao cruzar o estacionamento tentando olhar mais de perto, ele levou a mão ao bolso e pegou seu iPhone, pronto para tirar uma foto caso tivesse sorte e fosse alguém famoso. A limusine seguiu até a entrada VIP e parou. Então o chofer desceu, colocou seu quepe e abriu a porta traseira.

Uma mulher desceu, apoiada na mão do chofer. Apesar de seus óculos escuros, Nathan não achou que fosse alguém famoso. Ela era certamente bonita, no entanto. Seu cabelo dourado dividido ao meio e preso atrás da orelha caía sobre os ombros de sua jaqueta colada, suas calças apertadas mostravam uma silhueta magra, e as botas de salto alto que usava acentuavam suas pernas compridas. Apesar disso, quando ela ficou de pé, as pessoas próximas à limusine começaram a se afastar. Quando Nathan abaixou seu celular, entendeu o motivo: um golden retriever tinha saído da limusine atrás dela, usando a distinta coleira peitoral dos cães a serviço de cegos.

Um homem grandalhão com blazer de lã se levantou para cumprimentar a moça e acompanhá-la com seu cachorro para a entrada VIP. Quando os três passaram pelo portão, a moça deixou seu cachorro seguir na frente, empolgado pela multidão aglomerada ao redor deles.

O chofer voltou para trás do volante e a limusine partiu. Ninguém parecia dar atenção à mulher com seu cachorro. Ela não era famosa nem conhecida e, apesar de muito atraente, não havia nada ali que satisfizesse o desejo geral de empolgação com celebridades. Talvez fosse a decepção ou mesmo pena pela deficiência, pensou Nathan, mas ele apostaria que nenhuma outra testemunha de sua chegada estivesse tão curiosa sobre aquela mulher quanto ele.

Havia algo naquela pequena performance que não se encaixava.

Quando ela e Boomer chegaram à suíte de luxo, Jennifer estava pronta para desistir de todo o esquema. Olhares grosseiros de homens que se sentiam à vontade para secar uma moça cega já eram ruins o bastante, mas os olhares de pena eram os piores. Mais de uma vez ela esteve tentada a remover os óculos escuros e se declarar curada, como um suplicante em uma igreja. Ela poderia ter feito isso se não fosse por um único motivo: Boomer estava se divertindo como nunca na vida. Lutando contra o cansaço, sua cauda balançava como uma meia ao vento, e ele passou a caminhada do estacionamento inteira saltando de um lado para o outro ao reconhecer os arredores. Ninguém que estivesse olhando de perto confundiria Boomer com um cão-guia de verdade, e ela esperava que a qualquer momento alguém a acusasse de fraude, mas ninguém disse nada e a viagem até o terceiro andar foi breve. Se tivessem percebido que o cachorro não estava tão atento ou bem-comportado quanto deveria, eles poderiam provavelmente atribuir isso ao ambiente estranho.

É claro, não era nada ruim ser levada com Boomer para sua suíte por Cal Daniels, um homem cuja companhia tinha a logomarca estampada em mais de um carro da corrida daquele dia. Cal era um homem grande, não só alto, mas corpulento, com uma cabeça enorme, ombros largos e estrutura rústica que o tornariam intimidador em um confronto. Isso, somado à atitude solícita dele em relação a ela, provavelmente deteve qualquer um que pudesse ficar tentado a impedir uma pessoa de entrar no estádio com um cachorro. Jennifer suspeitava que ele estivesse usando sua suposta cegueira como uma desculpa para levá-la pelo braço para sua suíte, suspeita que se confirmou quando ele relutou em soltá-la ao chegarem.

– Posso te oferecer uma bebida? – ele disse.

Jennifer removeu os óculos e sorriu pela primeira vez desde que saíra da limusine.

– Eu adoraria – ela respondeu. – Qualquer coisa diet.

A suíte do terceiro andar era impressionante. Um ambiente privado, com climatizador e vista para a linha de partida e chegada, e três estruturas de assentos acolchoados confortáveis com vista de cento e oitenta graus da pista. À esquerda, banquetas de couro vermelho se amontoavam ao redor de um bar, e algumas mesas davam opção de espaço para os que não quisessem comer em seu assento. Nas duas laterais do cômodo havia televisões de tela plana transmitindo um aquecimento, antecipando a cobertura ao vivo da corrida. Além deles, havia mais uma dúzia de pessoas ali dentro. Derek Compton havia mencionado que algumas pessoas da companhia de Cal se juntariam a eles naquele dia, mas garantiu que não era uma reunião de trabalho, apenas um agradecimento do chefe.

Daniels voltou do bar e entregou-lhe uma lata de Coca-Cola gelada.

– Você pode soltar o cachorro agora – ele disse, apontando para Boomer. – Enquanto ele estiver aqui dentro, pode ficar solto.

– Obrigada. Ele adora explorar.

Jennifer soltou a coleira e Boomer saiu andando. Farejando o chão com seu focinho molhado e curioso, ele passou por entre as mesas e banquetas de couro com um monte de copos ao redor, aceitando afagos de todos que chegavam.

Ela abriu sua lata de refrigerante e tomou largos goles, e a ardência do gás fez seus olhos marejarem. Até então, Jennifer não percebera o quão nervosa estava com a sua performance fraudulenta. Agora que ela e Boomer estavam a salvo, ficou surpresa com o quanto sua boca ficara seca.

A porta se abriu novamente e seis outras pessoas – cinco homens e uma mulher – chegaram. Daniels disse a eles que se servissem no bar e os apresentou para Jennifer. Enquanto bebericava, Jennifer reparou que não estava prestando completa atenção, mantendo um olho em Boomer enquanto ele seguia farejando a sala. Apesar da garantia de Cal de que seu cão estava livre para passear pela suíte, sempre havia a chance de que ele escapasse quando alguém abrisse a porta. Com mais gente chegando e a sala ficando lotada, ela teria que ficar alerta para que Boomer não fugisse, estragando assim seu disfarce.

— Algum problema? – perguntou Cal.

Jennifer sacudiu a cabeça.

— Só estou cuidando para o meu cachorro não escapar pela porta.

— Não se preocupe, ele vai ficar bem. Meus convidados sabem da situação. Vão ficar de olho nele.

Jennifer concordou e se voltou para a tela, sentindo um pouco de irritação. Quanto, ela imaginou, Cal teria contado a todos sobre a condição de Boomer? Será que ele simplesmente mencionou que haveria um cachorro na suíte naquele dia, ou teria mencionado que o animal estava morrendo? Ela ficava furiosa ao pensar que as notícias sobre a doença de Boomer tivessem se espalhado, como se mais pessoas saberem do diagnóstico trouxesse mais certeza de sua morte.

Você está sendo irracional, disse Jennifer para si mesma. Cal não fez nada para feri-la. Além do que, ele estava fazendo um enorme favor em convidar Boomer para ver a corrida. E daí que as pessoas soubessem da sua condição? Isso não mudava nada.

Ela estava assistindo à pré-corrida por alguns minutos quando um homem à sua direita disse:

— O que você acha disso, Jen?

Jennifer se virou e se surpreendeu ao encontrar Cal e um de seus próprios colegas a encarando. Jason Grant tinha sido contratado para a equipe de mídias sociais na Compton/Sellwood seis meses antes, e estava se tornando rapidamente uma pedra no seu caminho. Rápido em apresentar propostas que muito prometiam e pouco entregavam, ele era também um bom vendedor, insistente ao ponto de mania, o que fazia as sugestões cautelosas dela parecerem fracas em contraste. Havia rumores de que Jason se referia a ela como "cavalo de trabalho" pelas costas, mas isso já era um avanço em relação ao apelido dado pelos outros homens da empresa: "rainha do gelo".

— Desculpe — ela disse, sacudindo a cabeça. — Eu não estava prestando atenção. Qual a pergunta?

— Estávamos falando da campanha que você e a equipe fizeram para nós — explicou Cal. — Jason tem algumas ideias próprias e pensei que, como você está aqui, ele poderia te explicar para ouvir a sua opinião.

Jennifer sentiu seu estômago se contorcer. Então Derek Compton havia mentido para ela: isso era uma reunião de trabalho, no fim das contas. No entanto, não era culpa de Cal, e ainda faltavam alguns minutos antes de a corrida começar. Contanto que Boomer estivesse bem, não faria mal algum responder a algumas perguntas.

— Que tipo de ideias? — ela perguntou, com esforço para fingir interesse.

Quando Jason compartilhou sua sugestão de que a tecnologia de Absorção de Impacto Daniels deveria estar em todas as mídias sociais, entre Twitter, Tumblr e links do Instagram no website e página do Facebook, Jennifer sentiu seu sorriso congelar. Ela e sua equipe tinham feito muita pesquisa antes de apresentar o plano de marketing da companhia de Cal, e nenhum deles havia indicado que uma campanha estendida às mídias sociais seria vantajosa o suficiente para justificar os custos. Ela entendia o ponto de vista de Jason, é claro. Um jovem tentando impressionar seu cliente com uma abordagem inovadora para capturar corações e mentes, mas a verdade era que nem todas as abordagens traziam resultados. A menos que Cal Daniels estivesse a fim de queimar dinheiro – o que ela sinceramente duvidava –, não valia a pena pagar pelo que o rapaz estava sugerindo.

Jason terminou sua apresentação com um floreio, e os dois esperaram pela resposta dela. Jennifer acenou pensativa, na tentativa de ganhar tempo. Como ela poderia colocar isso?

Estava tentando encontrar uma forma diplomática de dizer a eles o que estava pensando quando a porta se abriu e um garçom entrou empurrando um carrinho repleto de comida, coberto com uma toalha. Antes que a porta se fechasse, ela viu Boomer escapar para fora.

— Boomer, volte aqui! – ela gritou, assustando as pessoas ao redor. – Me desculpe – ela disse a Cal. – Preciso buscar o meu cachorro.

Esquecendo o estratagema que permitira que ela trouxesse um cachorro para o estádio, Jennifer disparou pela porta, procurando no caminho acarpetado pelo seu animal em disparada. A poucos minutos do começo da corrida, a área estava lotada de pessoas se empurrando à procura de seus assentos. Uma mulher que saía do banheiro trombou com ela, e uma criança logo atrás pisou no seu pé. Jennifer olhou sobre as cabeças que passavam para todo lado. Havia uma escadaria quinze metros à direita. Ele teria ido naquela direção, ela se perguntava, ou de volta por onde vieram? Se não encontrasse Boomer logo, eles seriam expulsos antes mesmo de a corrida começar.

Então ela ouviu uma voz na multidão.

— Aqui! Peguei ele.

Um homem com cabelos claros e uma camiseta azul acenava para ela do outro lado do corredor. Jennifer acenou de volta e começou a abrir caminho por entre o mar de gente. Conforme a multidão se movia, ela viu Boomer adiante, e o homem segurava sua coleira. O alívio que sentiu trouxe lágrimas aos seus olhos.

— Muito obrigado! – disse Jennifer ao se aproximar.

O traseiro de Boomer chacoalhava, e, antes que ela pudesse evitar, ele se ergueu sobre as patas traseiras e lambeu o rosto do homem.

— Boomie, desce! Sinto muito – disse ela, segurando a coleira. – Ele costuma ser muito mais bem-comportado do que isso.

O homem riu. As patas de Boomer atingiram o chão, e ele se abaixou, acariciando alegremente a pelagem do cachorro.

— Está tudo bem – disse ele ao olhar para ela. – Ele só está empolgado. Afinal, não é todo dia que se presencia um milagre.

— Como?

Ele apontou.

— Você está enxergando.

Jennifer levou a mão ao rosto.

— Meu Deus. Esqueci os óculos. Precisamos ir.

O homem olhou por cima do ombro dela e franziu o rosto.

— Melhor não. Tem um segurança vindo nessa direção.

— Ah, não. Ele vai nos botar pra fora.

— Espere, não entre em pânico – disse ao pegar seu óculos de sol no bolso da frente e entregar para ela. – Coloque isto e segure a coleira do Boomer como se ele estivesse te levando para algum lugar.

Jennifer fez o que ele disse.

— Tá, e agora? – ela sussurrou.

— Agora – ele disse, espiando sobre o ombro dela – você age como se estivesse muito irritada comigo.

— O quê? – ela sacudiu a cabeça. – Não! Por que eu ficaria irritada por você pegar o meu cachorro?

Ele lançou a ela um olhar exasperado.

– Porque – sibilou ele – as pessoas não devem brincar com cães-guia. Distrai eles do serviço. Uma pessoa cega como você deveria saber disso.

– Mas eu não... Ah, sim – disse ela. – Entendi.

– Certo, lá vem ele – disse, piscando. – Só finja que não está dando em cima de mim.

Jennifer ajeitou sua posição e se ergueu quando o segurança chegou.

– Com licença – disse. – Não permitimos cães...

Ele parou ao ver a coleira e o aviso de cão-guia.

– Me desculpe, senhorita. Não percebi que era seu.

– Está tudo bem – disse Jennifer, fitando o vazio no espaço. – Aparentemente você não é o único que não consegue reconhecer um cão-guia quando vê um.

Ela levou a mão e acariciou a cabeça de Boomer.

– Você se importa em nos levar de volta para nossa suíte? Temo ter desviado do caminho.

Quando o guarda pegou em seu braço, levando-a por onde ela tinha vindo, Jennifer viu seu bom samaritano sorrir e acenar.

CAPÍTULO 6

Jennifer sentou-se em seu quarto de hotel naquela noite, revendo as fotos que tirara da estrada e tentando decidir quais deveria mandar para Stacy. Tecnicamente, ela ainda não estava na estrada, mas pensou que sua administradora gostaria das fotos, e seria bom para criar o hábito. Quando ela e Boomer já estivessem no caminho, ela desejava conseguir fazê-lo automaticamente. Afinal, de que serve um itinerário se você não o mantiver atualizado?

Quando o segurança os levou de volta para a suíte, Cal se desculpou pelo incômodo e insistiu que pegasse algo para comer, poupando Jennifer de um confronto com Jason, o fanático por mídias sociais. Só houve tempo de pegar um sanduíche antes de os pilotos ligarem os motores e o rugido dos quarenta e três carros de corrida fazer todo mundo saltar dos seus lugares.

Ela e Cal sentaram na primeira fila, bem de frente para a linha de largada, enquanto Boomer se acomodou ao lado da janela. Apoiado em suas patas traseiras, as dianteiras se apoiavam no beiral, e ele assistia aos carros se aproximarem da largada como um cão de caça esperava um pato cair. Então, quando os líderes atravessaram a linha de partida, o ronco dos motores sacudiu o estádio. Boomer enlouqueceu. Indo e voltando pela janela, ele "perseguia" os carros na pista sem parar de latir um segundo. Os convidados de Cal pareciam estar se divertindo com a alegria de Boomer tanto quanto ela, mas, pensando bem, Jennifer teve sorte que ninguém nas outras suítes tivesse reclamado do barulho. A Absorção de Impacto Daniels era uma patrocinadora importante, mas eles ainda teriam problemas se alguém descobrisse que Boomer não era realmente um cão-guia.

Ela voltou para o vídeo que fez de Boomer quando ele tentava seguir os carros por dentro da janela e sorriu. Ao vê-lo assim, saltando e correndo, determinado a pegar os carros de corrida quando se aproximavam, era difícil de acreditar que ele estivesse realmente doente. Talvez ela mandasse esse para Stacy, pensou. Daria a ela algo do que rir quando os clientes de Jennifer começassem a fazer fila na segunda-feira de manhã. Ela adicionou o vídeo ao restante das fotos e apertou o botão "enviar", lembrando-se de agradecer a Derek novamente pelo ingresso. Fazia um bom tempo desde que vira Boomer assim tão enérgico.

Se ao menos aquilo tivesse durado, ela pensou ao guardar seu telefone na bolsa. Em vez disso, conforme os carros continuaram passando, o latido de Boomer foi ficando mais fraco, e algumas voltas depois ele parou de correr quando eles passavam. No momento que o vencedor atravessou a linha de chegada, ele estava deitado no chão aos pés dela.

Jennifer espiou seu cachorro, que roncava suavemente na cama ao lado dela, e mordeu o lábio. Ele ficou tão cansado depois da corrida que mal podia andar, e pela segunda vez no dia ela temeu que seu disfarce fosse estragado. Já era arriscado demais ter um cão-guia que não prestava atenção e, se ela tivesse que carregá-lo de volta à limusine, nem mesmo seu bom samaritano seria capaz de salvá-la.

Ela estendeu a mão e apanhou os óculos de sol que repousavam no criado-mudo, perguntando-se sobre o homem que lhe dera cobertura na corrida. Boomer sempre a protegera, e normalmente levava um tempo para ele se familiarizar com estranhos, especialmente homens, então ela ficou surpresa que ele tenha corrido direto para o estranho em vez de fugir sozinho. Ela era grata, é claro. Se o cara não tivesse segurado a coleira na hora, o segurança talvez chegasse antes e eles teriam sido expulsos. Ainda assim, ela achava esquisito que seu garoto tivesse simpatizado tão rápido com um estranho. Quem quer que fosse aquele homem no estádio, Boomer devia achá-lo bastante especial.

Com as fotos enviadas para Stacy, e Boomer profundamente adormecido, era hora de Jennifer trabalhar. Ela tirou a mala do armário, pegou os mapas, guias e brochuras de viagem que apanhara no Clube Automotivo e espalhou tudo pela mesa. O doutor Samuels dissera que Boomer tinha um mês pela frente, e ela estava determinada a não desperdiçar tempo. Primeiro, eles iriam explorar cada marco histórico e paisagem de Joliet até Santa Mônica. Então, quando chegassem à Califórnia, prometeu a Boomer que ele poderia tentar surfar. Ela planejaria essa viagem como fazia com os projetos de trabalho, nos mínimos detalhes. Cada segundo seria preenchido com algo interessante para fazer, e cada dia seria melhor que o anterior. Eles se divertiriam muito mesmo! Então, ao abrir o primeiro mapa, ela se sentiu como um general traçando planos de batalha.

Uma hora depois, no entanto, Jennifer estava exausta, e mal tinha planejado alguma coisa. Havia tantas variáveis a se considerar, tantos interesses conflitantes, e aquilo era de mais. Para piorar, seu pescoço estava enrijecido, e forçar a vista lhe causara dor de cabeça. Isso seria muito mais fácil de se fazer on-line, ela pensou, afastando os guias de viagem.

Jennifer olhou saudosa para seu iPhone, imaginando se haveria algum e-mail importante em sua caixa de entrada. Sua proibição autoimposta contra qualquer mídia eletrônica seria muito difícil para alguém tão conectada quanto ela, que mal podia se lembrar do que fazia antes da internet. Seria possível passar um mês inteiro sem isso?

Sim, disse Jennifer para si mesma, sentindo sua espinha enrijecer. Ela devia isso a Boomer, no mínimo. Um mês livre da constante distração das mídias sociais seria bom para ela, e haveria tempo de sobra para se atualizar depois que ele partisse. Ela tinha feito o suficiente por uma noite, decidiu. Então, guardou tudo de volta na mala e se aprontou para a cama, entrando debaixo das cobertas com o livro novo que escolhera para ler na viagem. Na metade do segundo capítulo ela tinha pegado no sono.

Jennifer acordou na manhã seguinte em pânico. Sonhou que estava de volta à faculdade, tentando sem sucesso chegar a uma prova final. Era um sonho recorrente, devia ter acontecido uma dúzia de vezes ao longo dos anos, mas desta vez era diferente. Desta vez ela estava confiante de que chegaria a tempo porque Boomer estava mostrando o caminho.

Mas Boomer morreu e ela ficou perdida.

Tentando recuperar o fôlego, com o medo a corroendo por dentro, ela sentou-se e olhou ao redor. A luz já entrava por uma fenda nas cortinas. Já era de manhã? Por que Boomer não a acordara? Ele sempre levantava antes dela. Ela se virou e o avistou deitado no mesmo lugar da noite anterior, e sentiu a garganta se apertar. Seria isso? Será que o sonho fora um aviso?

Ela prendeu a respiração, esperando até ver a barriga do cão se erguer e abaixar, então soltou-a lentamente. Tinha sido só um sonho ruim, mais nada. Boomer ainda estava com ela, ainda dormia em paz ao seu lado. Ela chegou cada vez mais perto e apoiou a orelha na lateral dele, para ouvir a batida ritmada e calmante de seu coração.

– Por favor não me abandone, Boomie – ela sussurrou. – Ainda não. Eu não estou pronta.

Quando Jennifer já havia tomado banho e se trocado, Boomer tinha acordado e andava pelo piso. Com ou sem sonho, ele estava pronto para passear. Ela botou sua guia e os dois saíram para a área de cães nos fundos. Enquanto Boomer cheirava o chão à procura de inspiração, Jennifer lia um panfleto chamado *Descobrindo a História da Rodovia-Mãe da América*. Ela tinha planejado fazer uma trilha com ele pela manhã, mas, depois de toda agitação que tiveram no circuito, talvez fosse melhor apenas ver algumas paisagens.

– O que acha? – ela perguntou enquanto ele circundava um ponto promissor na grama amarelada. – Podemos ver alguns "exemplos icônicos da era das Tempestades Negras na arquitetura e memoriais celebrando a cultura americana de carros no século XX".

Boomer a ignorou, pois estava ocupado com uma grande tarefa.

– Que tal uma "amável estátua de Paul Bunyon" ou "o gigante de Gemini, orgulho de Wilmington, Ilinois"?

Ainda sem reação.

– Ou... – ela disse, deixando o panfleto de lado. – Eu posso simplesmente deixar o vidro abaixado e você coloca a cabeça pra fora enquanto eu dirijo. O que você acha? Vamos dar tchauzinho?

Isso chamou a atenção dele. Depois de alguns segundos cavando na grama, Boomer começou a puxar a guia, levando-a na direção de seu carro.

Jennifer sacudiu a cabeça.

— Não, Boomster, ainda não. Eu quis dizer depois do café da manhã.

O olhar que ele lhe lançou foi de censura. Como ela ousava mencionar a frase mágica se eles não iriam dar tchauzinho na hora?

— Você está certo. Eu não devia ter falado nada. Mas ainda precisamos comer. O que você sugere?

O atendente do balcão disse a eles que o restaurante Joliet Rota 66 servia café da manhã para viagem e ficava a poucas quadras de distância. Quando Jennifer atravessou o estacionamento com duas embalagens de comida nas mãos, Boomer esperava impacientemente na picape, com o focinho enfiado no vão de cinco centímetros no alto da janela.

— Espere só um pouco – disse ela, colocando as embalagens de isopor no chão – Eu quero gravar isso para a posteridade.

Jennifer abriu a tampa traseira da caçamba e levou Boomer para lá, então pegou o telefone, as embalagens de comida e sentou-se ao lado dele. O traseiro do cachorro balançava ao vê-la abrir a primeira caixa e erguer a tampa.

— Quem pediu frango frito com ovos mexidos? – ela perguntou.

Boomer grunhiu e bateu com as patas no chão, como quem avisa que a paciência está se esgotando. Jennifer acenou com a cabeça e ajustou seu telefone para filmar.

— Pedi para cortarem em pedacinhos – ela disse. – Mas não significa que você não possa devorar.

Ela colocou a embalagem na frente dele e apertou o botão para gravar, tentando não rir enquanto Boomer devorava tudo como se não comesse havia dias. Ovos mexidos e carne processada foram tragados como por um aspirador de pó, e o focinho de Boomer tinha tanto molho que parecia um bigode. Quando o espetáculo acabou, Jennifer guardou o telefone e apanhou a segunda embalagem. Esse era outro vídeo que teria que mandar para Stacy, pensou. Nada como assistir a um cachorro engolir o café da manhã para rir um pouco.

– Com licença – ela disse, desembalando seu garfo plástico –, agora é minha vez.

Enquanto Boomer farejava ao redor, procurando algum pedaço que tivesse deixado passar, Jennifer comeu suas panquecas de mirtilo. Não demorou muito, no entanto, para que duas coisas ficassem patentes. Primeiro que, apesar de deliciosas, havia panquecas demais para ela e, segundo, que isso não significava que elas seriam desperdiçadas.

Jennifer abaixou o garfo de plástico.

– Quer terminar essas?

Boomer, que estava acompanhando cada pedaço que entrava em sua boca, não precisou de mais incentivos, e em pouco tempo a embalagem de Jennifer estava também limpa.

– Nada como um café da manhã reforçado para começar o dia, não é?

Ela pegou um pacote de lenços, limpou o restante do molho do rosto e das patas dele, levou Boomer de volta para o banco de trás e jogou fora o lixo. Então abriu a janela do passageiro, prendeu Boomer na coleira e caiu na estrada.

– Cuidado, mundo! – ela exclamou. – Aí vem o Boomer!

CAPÍTULO 7

Existem poucas coisas que tiram o fôlego como uma corrida NASCAR. Conforme os corredores se aproximam de suas marcas de partida, o rugido dos quarenta e três motores sacode o chão, tocando algo primitivo dentro da mente humana. Feche os olhos e você poderia estar parado no meio de uma manada de búfalos.
— "Cavalheira, dê a partida", por Nathan Koslow, repórter

Rudy Koslow podia estar a duzentas milhas de distância, mas sua irritação podia ser sentida pelo telefone em alto e bom som.

— Rota 66? Que raios você está pensando? Vai levar o dobro de tempo para trazer o meu carro por este caminho.

Nathan estava trabalhando em seu artigo para a *Tribuna*, digitando em sua estreita mesa no quarto de hotel enquanto ouvia seu irmão reclamar. Ele sabia que isso aconteceria, e por isso não se preocupou em avisar Rudy da mudança de planos antes de sair de Chicago. E daí que levaria mais tempo para chegar a Los Angeles? Que diferença faria?

— Foi o trato que fiz com a minha editora — ele disse. — Mando pra ela artigos de viagem pelo caminho e ela não contrata outra pessoa para fazer o meu trabalho enquanto estou fora.

– Sério? Nate, eu não sei por que você ainda trabalha para essa gente. Primeiro eles tomam a sua coluna, depois fazem você rastejar por trabalho. Quem precisa dessa merda?

– Foi uma decisão estratégica, os tempos estão difíceis.

– Talvez aí em Chicago, mas não aqui na Califórnia. Escute, tenho um roteiro que precisa ser reescrito inteiro: *Putas Vampiras de Marte*. Pode ser seu primeiro crédito nas telonas. O que acha?

– Ok – disse Nathan, relendo a última linha que digitara. – Tudo bem.

– Não, não está. Você tem se lamentado por aí desde que a Sophie largou você.

– Como você saberia?

– Você está brincando? Toda vez que alguém da família me liga é a mesma coisa, "Nate está deprimido" e "Ele parece tão triste". Blá-blá-blá. Estou cansado disso.

– U-hum – disse Nathan enquanto substituía a palavra primal por primitivo. – Diga para eles cuidarem da própria vida.

– Não, diga você – respondeu Rudy. – Eu tenho um filme para rodar.

Nathan olhou para o relógio: dez e quarenta. A hora de saída era às onze, e ele precisava entregar o artigo para Julia antes de sair. Passou a noite anterior escrevendo sobre a ida ao circuito Chicagoland Speedway, mas o texto ainda precisava de um polimento, o que não aconteceria se ele ficasse preso no telefone com seu irmão.

– Olha, eu gosto disso tanto quanto você – ele disse. – Mas você me pediu para dirigir o seu carro até aí, e essa foi a única forma que consegui para arranjar tempo livre. Minha chefe disse que a Rota 66 é uma pauta quente agora, e é sobre isso que vou escrever. Além disso, estamos falando de apenas alguns dias.

Rudy não estava convencido.

— Tem um monte de coisas na interestadual. Por que você não pode escrever sobre elas?

Nathan deu de ombros e quase derrubou o telefone. Mal podia acreditar que estava defendendo essa tarefa miserável para seu irmão. Ah, a ironia.

— As coisas na interestadual são sempre as mesmas — disse ele. — Lanchonetes, postos de gasolina e hotéis baratos.

— E você está me dizendo que a Rota 66 não tem nada disso?

— Não, estou dizendo que lá as coisas são diferentes, mais autênticas.

Rudy resmungou, claramente ainda não convencido.

— Ok, e *quando* você chega aqui?

— Isso depende das condições da estrada e do que eu encontrar pelo caminho. Oito, talvez dez dias.

— *Dez dias*? Poxa, e eu achei que ia economizar um dinheiro. Agora tenho que pagar por um monte de noites a mais em hotéis?

— Não, não — Nathan parou de digitar e segurou o telefone com a mão. — Esse é o lado bom da história. Já que eu estou tecnicamente trabalhando, vou receber as despesas da viagem. Demoro mais para chegar, mas não vai te custar um centavo.

As palavras tiveram o efeito desejado. Quando percebeu que seu bom negócio tinha ficado ainda melhor, a ira de Rudy subitamente desapareceu. Receber seu Mustang um pouco depois e muito mais barato era um bom trato.

— Tudo bem — ele disse. — Vá escrever as suas coisas pra editora e me liga assim que souber quando você chega.

— Obrigado, mano.

— Mas escuta: a estrada é bem velha, então tome cuidado, pode ser perigoso. Não quero o meu carro arranhado.

— Já entendi. Certo. Tchau.

Nathan desligou e tentou limpar sua mente para a reta final. Só mais alguns parágrafos e ele poderia despachar aquele negócio. Ele só precisava focar. Se conseguisse se concentrar nas palavras à sua frente, pensou, o resto do mundo desapareceria ao fundo. A coluna perdida, sua vida pessoal miserável e até a preocupação da família com seu humor poderiam ser desligados pelo simples processo de colocar uma palavra depois da outra na página. Qualquer problema que tivesse no momento, lidaria da mesma forma como sempre fizera na sua vida: ignorá-lo até que desaparecesse. Foi o que a Sophie tinha feito com ele, não?

Fazia um bom tempo desde a última vez que Nathan tinha ido a uma corrida NASCAR, e ele quase se esqueceu da emoção toda. Ele queria convencer seus leitores de como o poder cru dos carros disputando uma posição na pista agitava a multidão e fazia a atmosfera vibrar com energia emocional. Não era apenas sobre a velocidade de carros de alto desempenho em um circuito oval: havia estratégias envolvidas, disputas para resolver e rivalidades pessoais a desafiar. Para os corredores e suas equipes, os riscos eram astronomicamente altos. Uma vitória significava patrocínios de milhões, e uma derrota poderia afastar aqueles milhões. Sentado no estádio assistindo à batalha dos carros pela linha de chegada, ele sentia isso. E queria que seus leitores sentissem também.

Satisfeito por fim com sua história, escreveu um e-mail rápido para Julia, lembrando-a de sua boa ação por cobrir a falta de Morty, e enviou o arquivo como anexo. Ele tinha cumprido a sua parte da barganha; agora caberia aos caras da seção de esportes usar o texto ou não. Ele esperava que sim, é claro. Nathan tinha orgulho de seu trabalho, e detestava quando algo que tinha escrito era descartado, mas sempre havia boas histórias à sua espera. A verdade era que, desde que perdera sua coluna regular, ele andava indiferente ao destino de qualquer outra coisa que escrevesse.

Tinha sido uma grande experiência, isso de ter seu espaço garantido. Sua própria coluna deu a ele uma chance de se destacar na multidão. Era um reflexo de sua personalidade, uma declaração de como ele via o mundo. Seria possível que ele tivesse ido longe demais em cutucar os grandes e poderosos? Claro, mas era esse o objetivo, certo? Controvérsia vende jornais. Além disso, as pessoas merecem ouvir algumas coisas.

Ele se levantou e começou a guardar suas coisas na mala. Era um hotel barato, mas nada do tipo que tivesse algum charme e história que valesse a pena escrever a respeito. Julia podia estar disposta a pagar pelas suas acomodações, mas isso não queria dizer que ele ficaria no Ritz. Do ponto de vista de Nathan, seu orçamento diário mal cobria duas refeições por dia. Mesmo assim, ficava feliz em poder ajudar seu irmão e sair um pouco da cidade. Nos últimos meses, sua vida ficara presa a uma rotina que ele parecia não conseguir quebrar. A maior parte dos dias envolvia levantar, ir para o trabalho, voltar para casa, assistir algum esporte na televisão e dormir. Era como se estivesse vivendo em um moinho.

Quando conseguiu fechar a mala, apanhar as chaves e sair pela porta, Nathan quase podia ouvir seu pai dizendo para ele parar de se arrastar e superar. Ainda tinha um trabalho apesar de tudo, ainda escrevia histórias de que as pessoas gostavam, ou diziam gostar, ainda tinha um lugar decente para viver e até mesmo alguns amigos, apesar de serem menos agora que Sophie tinha partido. Ele estava deprimido? Talvez, mas e daí? Junte-se ao clube.

Ele jogou sua mala no Mustang, pulou para dentro e ouviu os pneus cantando ao acelerar para fora do estacionamento. O problema, pensava ele, era que ele tinha trinta e cinco anos e a vida que ele imaginara para essa idade não estava nem perto de se concretizar. Grandes histórias eram caras de se cobrir, e os orçamentos, apertados. Não havia mais mistérios para desvendar, mais nenhum encontro clandestino em estacionamentos escuros como Woodward e Bernstein, nada além do sentimento de estar vendendo entretenimento e espaços publicitários para um público cada vez mais indiferente. Salvo raríssimas exceções, a vida de um repórter de jornal tornara-se um tédio esmagador, e na maior parte dos dias você simplesmente recebia e cumpria as tarefas designadas sem nenhum entusiasmo.

O canto da boca de Nathan se agitou. Ele tinha visto de relance um mistério recentemente: a moça cega no autódromo. Ou melhor, a moça com o cão-guia muito suspeito que estava fingindo ser cega. Qual seria a história dela?, ele se perguntava. Na hora, ele simplesmente achou que ela só queria mesmo entrar com o cachorro, mas ele nunca ouviu falar de um cão que gostasse de assistir corridas NASCAR. Talvez, se o segurança não tivesse aparecido naquela hora, ele tivesse uma chance de falar com ela e descobrir. Seus instintos de repórter lhe diziam que havia uma história muito interessante ali.

Tá bom, certo, disse sua voz interior. *Como se fosse com isso que você está preocupado. Você é um monge, agora? Acabou de conhecer uma mulher linda e só consegue pensar que ela pode ser uma história interessante. Quem você pensa que engana?*

Nathan contorceu o rosto. Detestava ser lembrado do quanto sua vida amorosa era horrível, mesmo que fosse ele próprio se lembrando. Ele sempre foi capaz de se reerguer rapidamente após o término de um relacionamento, mas com Sophia tinha sido diferente. Na época, ele não tinha se importado tanto assim. A *Tribuna* tinha acabado de cancelar sua coluna, e Nathan estava muito ocupado tentando se recuperar daquele golpe para lidar com qualquer problema entre eles. Então, quando Sophie finalmente declarou o fim da relação, ele disse para si mesmo que superaria, que só precisava de um tempo, mas já fazia quase um ano e ele ainda não tinha voltado ao jogo.

As nuvens sumiram quando ele saiu dos limites da cidade, e Nathan sorriu. Com o que estava preocupado? Tinha um bom carro, bom clima e quilômetros de estrada livre pela frente. Conforme o Mustang pegava velocidade, a luz do sol brilhava, fazendo o azul-safira do carro reluzir. Agora, pensou, tudo de que precisava era de óculos de sol novos.

CAPÍTULO 8

Uma viagem pela Rota 66 é uma jornada para um tempo em que o poder americano estava em ascensão. Éramos uma nação nova, com riquezas para além da imaginação, e queríamos que o mundo soubesse disso. O Caminho Appiano estava em ruínas, mas nós tínhamos a Estrada-Mãe; os cavalos da brigada tinham sido enterrados em Balaclava, mas nós tínhamos cavalos feitos de aço; o Colosso de Rodes já era uma memória distante, mas nós construiríamos nossos próprios gigantes.
— "Talvez haja gigantes", por Nathan Koslow, repórter

Era um dia lindo para estar na estrada. Conforme Jennifer dirigia a sudeste de Joliet, gramados recém-aparados substituíam o concreto, os tijolos e o aço da cidade, e a profundeza do céu azul se tornava mais ampla, criando a ilusão que haviam saído do chão e agora planavam. Ela espiou Boomer, que repousava o queixo na beirada da janela, com a língua balançando, e sentiu um aperto. Ele não se interessara por nada que tinham visto até então.

A primeira parada tinha sido em Wilmington para ver o Gigante de Gemini. Jennifer, que crescera ouvindo histórias de seu avô sobre a corrida espacial, considerava charmosas as fotos que tinha visto da estátua de dez metros de altura. Ficou certa de que Boomer adoraria também. Ver a estátua ao vivo, no entanto, foi uma decepção. Além do capacete prata do Gigante parecer mais uma máscara de soldador do que qualquer coisa da NASA, os foguetes em suas mãos poderiam ser facilmente confundidos com torpedos. E, ainda pior, Boomer ignorou completamente o gigante. Depois de farejar um pouco o gramado aos pés da estátua, indiferente ao gigante que o encarava de cima, ele começou a puxar a coleira, ansioso para retornar à picape. Jennifer tirou algumas fotos rapidamente para Stacy e os dois partiram.

Outro grande item em sua lista – a estátua de Paul Bunyon em Atlanta – também foi um fiasco, e, quando Boomer ergueu uma pata contra o pé do gigante, Jennifer entrou em pânico. É claro que ele não gostava de estátuas, pensou. Que tipo de pessoa leva um cachorro para ver homens enormes de plástico? Sim, eles eram interessantes de alguma forma, como curiosidades e antiguidades, mas desde quando um cão se importa com estética? Talvez se eles fossem esculpidos em manteiga, como a vaca na Feira de Iowa, mas ali não havia nada que pudesse empolgar um cachorro. Da perspectiva de Boomer, as pernas enormes de Paul Bunyon poderiam ser um par de postes azuis. Depois de uma parada rápida em um parque de cães nos arredores, eles voltaram para a estrada.

Jennifer desejou ter conseguido fazer planos melhores antes de saírem de casa. Tinha sido um choque tão grande quando descobriu o quão curto era o tempo de Boomer que ela decidiu não se importar com planejamento nenhum e confiar que poderia decidir o que precisassem na estrada. Agora, pensando com mais clareza, ela percebia que as coisas que ela considerava encantadoras e memoráveis tinham pouco apelo para um animal de quatro patas. E se eles não encontrassem nada de que Boomer gostasse? A enorme viagem através do país se tornaria nada mais do que um passeio de carro estendido?

– Muito bem, espertinho – ela disse. – O que você quer fazer?

Boomer ergueu o queixo e olhou ao redor por um momento, então olhou para ela e lambeu os beiços.

– *Mas já?* Eu ainda estou cheia do café da manhã.

Ele engoliu e lançou a ela um olhar sério.

– Tudo bem – ela disse. – Eu não devia ter perguntado se não queria saber a resposta. Mas depois disso vamos queimar algumas calorias, mocinho. Não posso bancar uma renovação completa do guarda-roupa.

Além disso, pensou, com os olhos no painel, ela precisava de combustível.

De forma geral, Nathan gostava de fazer pesquisa. Quando ele tinha a coluna, seguir pistas e localizar pessoas que, com o estímulo apropriado, poderiam ser persuadidas a divulgar informações incriminadoras era uma emoção, como ser um criminoso sem correr o risco de passar uma temporada na cadeia. Mas ficar sentado no escritório abafado e apertado da Sociedade de Preservação Histórica naquela manhã era excruciante. A curadora, Mabel, estava contando com detalhes a história da Rota 66 havia quase uma hora, e Nathan estava tão distante de descobrir qualquer coisa interessante quanto na hora em que chegara. A única coisa que o animava era a perspectiva de ir embora.

Não que ele não apreciasse o esforço. Quanto mais ela falava, na verdade, mais Nathan suspeitava que a própria Mabel daria uma história mais interessante do que a informação sobre a qual falava. Com bochechas grandes e arredondadas, cabelo claro preso em coque e endurecido pela generosa aplicação de laquê, ela parecia a protótipica esposa rural do meio oeste: durona, devota e realista. Ele podia tentar o que quisesse que não conseguia direcionar a conversa para nada de natureza pessoal.

Mabel se levantou e foi procurar um arquivo sobre pesquisas que ficava na sala atrás e Nathan verificou seu relógio, disfarçando um bocejo. A entrevista já era ao mesmo tempo demais e insuficiente, ele pensou. Muitos detalhes técnicos e pouco drama humano para tornar o artigo interessante. Em vez de desperdiçar mais tempo da mulher, ele decidiu abreviar as coisas. Quando ela retornou com um arquivo de quase dez centímetros de altura em suas mãos, ele se levantou.

— Foi ótimo, Mabel, mas já ocupei muito do seu tempo por um dia. É melhor eu deixar você voltar ao trabalho.

O sorriso da curadora estremeceu, mas ela era experiente o bastante para saber quando sua audiência se cansava. Não fazia sentido chutar um cavalo morto.

— É claro — ela disse. — Você provavelmente precisa ir a um monte de lugares ainda. Posso te oferecer alguma coisa antes de partir? Tem refrigerante na geladeira.

— Não, obrigado. Estou bem.

— Tudo certo, então, mas se tiver mais alguma pergunta não hesite em ligar. Ficamos felizes em poder ajudar.

Nathan sentiu-se como um prisioneiro libertado ao voltar para o carro, e ligou o GPS à procura de um posto de combustível por perto. O Mustang não era só um devorador de combustível mas, a julgar pelas poças que deixara no estacionamento do hotel pela manhã, estava vazando mais óleo que as panquecas de batata da sua avó. Se, como ele suspeitava, o carro estivesse realmente com vazamentos, Rudy iria surtar. Era melhor se apressar em escrever algo bom para Julia, ou a viagem inteira seria um desastre.

É claro, não ajudava muito que ele estivesse começando a ficar obcecado com a mulher do autódromo. Ou melhor, o mistério sobre o que ela estava fazendo lá. Por que ela teria se dado àquele trabalho – a limusine, o peitoral de cachorro, os óculos escuros – só para entrar em uma corrida NASCAR? Teria sido uma aposta? Parecia mais um trote do que qualquer outra coisa. Talvez fosse algum tipo de teste, para checar se os guardas estavam atentos. Como uma charada que ele não conseguia resolver, o problema continuava lhe perturbando sempre que sua mente vagava. O que tinha de especial nela, ponderou, que capturara sua imaginação?

Ela era bonita? Com certeza. Mas e o cabelo, roupas e maquiagem? Definitivamente não era o seu tipo. Mulheres como aquela exigiam demais, eram controladoras demais para serem divertidas. Saia com ela algumas vezes e, antes que você perceba, ela vai estar te dando agendas e organizando a sua gaveta de meias. Ele trocaria aquilo por uma loira afetada com menos na cabeça do que no sutiã a qualquer momento.

Então, se não era com a mulher que ele estava obcecado, talvez fosse com o cachorro. Nathan sorriu. Ele estava parado do lado da área de imprensa quando Boomer veio correndo em sua direção. Ao avistar o retriever agitado, seu primeiro pensamento foi que era Dobry, e ao se abaixar e abraçar aquela pelagem macia dourada sentiu um nó na garganta. Era como dar um passo para trás no tempo.

Ser filho de militar não era fácil, e Nathan ficava particularmente mal com os longos períodos que seu pai ficava longe. Por ser o atleta da família, Rudy passava a maior parte do tempo malhando ou em campo – futebol no outono, corrida na primavera

—, e a irmã de Nathan, Amelia, tinha pouco tempo para seu irmão caçula irritante. Com o orçamento apertado, sua mãe tinha que trabalhar meio período sempre que podia, e a preocupação com dinheiro e a ausência do marido a deixavam com pouco tempo e paciência. Todos concordavam que Nathan precisava de um cachorro.

Ele o chamou de Dobry, palavra em polonês para "gentil", e as pessoas do abrigo disseram que ele era um cruzamento de labrador e retriever, mas a única coisa que importava para Nathan era que ele estava repleto de amor incondicional por um garoto solitário cuja vida até ali tinha sido uma série de mudanças. Desde o dia que o levaram para casa, Dobry fora seu melhor amigo.

Nathan viu um posto Shell à frente e deu seta para entrar. Pensar em Dobry sempre o deixava um pouco abatido. Quando seus pais se separaram, o único apartamento que sua mãe conseguia bancar não permitia animais, e Dobry teve que ser mandado de volta para o abrigo. A súbita perda de seu lar, seu pai e seu melhor amigo atiraram Nathan em um poço de depressão, que se manifestou como problemas de comportamento na escola. Ele era uma criança esperta o suficiente para saber que arranjar brigas só faria com que acabasse apanhando; então usava sua língua afiada e sua inteligência sagaz para fazer comentários cortantes que provocavam tanto lágrimas quanto risos, ganhando assim a censura de seus professores e um enorme respeito de seus colegas. Esse foi o treinamento perfeito para os comentários ácidos que tornaram famosa sua coluna na *Tribuna*. Talvez tenha sido por isso que a perda foi tão dura. Sem isso, Nathan ficava desprotegido.

Ele estacionou na bomba de gasolina e saiu do carro. Então, pensou, não era com a mulher cega que ele estava obcecado, mas com o cachorro, e só porque o lembrava de Dobry. Nathan inseriu o cartão de credito na máquina e apanhou a mangueira para abastecer. Agora que o mistério estava resolvido, ele se sentia aliviado. Já tinha problemas demais em sua vida sem se arrastar por alguma princesa metida.

Ao remover a tampa do tanque, ouviu passos se aproximarem e pararem ao lado do carro.

– Olá – disse uma mulher. – Lembra de mim?

Nathan olhou para cima e quase deixou cair a mangueira. Era ela, a mulher do autódromo, parecendo uma fazendeira do meio oeste com uma camisa de cambraia, jeans e botas de trabalho. Seu cabelo claro estava preso em uma trança casual com algumas mechas soltas, que emolduravam seu rosto como nuvens. A mudança em relação ao dia anterior era tão completa que ele talvez não a tivesse reconhecido se não fosse pelas longas pernas. Nathan tinha pouco mais de um metro e oitenta e os dois estavam se olhando cara a cara.

– Eu estava pensando em você agorinha – ele disse e se contraiu. – Desculpe. Isso soou errado.

– Tudo bem – ela riu. – Não é todo dia que se testemunha um milagre, não é?

Ele inseriu a mangueira no tanque e ligou a bomba.

Com mais frequência do que se imagina, aparentemente.

– Desculpe vir correndo aqui assim, mas eu não tive a chance de te agradecer naquele dia por me salvar no autódromo. Teríamos sido expulsos se não fosse sua ajuda com o segurança.

Nathan acenou com a cabeça, tentando não a encarar. Sem a maquiagem e as roupas de marca, havia algo encantador naquela mulher que era de tirar o fôlego. Antes ele a achava bonita. Agora ela era deslumbrante.

— Sem problemas — disse ele, em uma tentativa de fazer parecer que resgatar donzelas em apuros fosse uma ocorrência banal. — Imagino que você e Boomer tenham voltado para a suíte naquele dia.

— Sim. E a fuga dele na verdade me ajudou a evitar um.... Ei, você lembrou o nome dele.

— É claro. E me lembraria do seu também, se tivesse me contado.

— Desculpe — ela disse, e estendeu a mão. — Jennifer Westbrook.

Ele secou a mão nas calças antes de estender a sua. O aperto de Jennifer era firme, empresarial.

— Nathan Koslow. Prazer em conhecê-la.

Ela estava observando o Mustang, obviamente impressionada. Então Rudy estava certo sobre o carro esportivo, pensou Nathan. Uma pena não estarem em Chicago. Ele talvez reunisse coragem para chamá-la para tomar alguma coisa.

— Você ficou em Joliet na noite passada? — ela perguntou.

— Fiquei.

— Imaginei. Quando saímos para tomar café de manhã, eu vi o seu carro no estacionamento do hotel ao lado.

Ele estremeceu ao pensar no pulgueiro de hotel em que passara a noite.

— Sim — ele disse. — Era eu.

A bomba desligou. Nathan recolocou a mangueira no lugar e fechou a tampa do tanque.

Bela primeira impressão.

— Os seus óculos de sol estão na minha picape — disse ela. — Você quer dar um oi para o Boomer antes de partir? Acho que ele vai gostar de ver você.

— Sim, quero.

Jennifer olhou ao redor para os outros carros.

– Mas precisamos sair daqui antes. Tem uma praça de cães logo adiante na estrada, se quiser pode nos encontrar lá. – Ela hesitou e uma sombra cruzou seu rosto. – Só não espere muito dele. Ele anda meio cansado ultimamente.

CAPÍTULO 9

Jennifer estacionou em uma vaga e esperou pela chegada de Nathan. *Nathan Koslow*, ela pensou, franzindo o rosto pensativa. Por que aquele nome parecia familiar? Ela conhecia um monte de pessoas influentes em seu trabalho na Compton/Sellwood, mas não achava que ele fosse um deles, e se fosse alguém que ela deveria reconhecer, mas não conseguia, era melhor não perguntar. Em sua experiência, a maioria das pessoas realmente famosas preferiam ser deixadas em paz; só as celebridades menores odiavam passar despercebidas. A menos que ela conseguisse se lembrar de onde o conhecia, o melhor era não perguntar.

Ela viu o Mustang estacionar e estendeu a mão para prender a coleira de Boomer. Um rápido "olá" e uma caminhada seriam a melhor opção, dadas as circunstâncias. Ela segurou a guia e saiu pela porta do passageiro, imaginando que teria que forçá-lo a sair do carro. Em vez disso, quando ela abriu a porta, Boomer saltou para fora da picape e correu na direção do Mustang. Antes que Jennifer pudesse detê-lo, ele se lançou nos braços de Nathan. Ela parou no lugar, assistindo embasbacada. O que dera nele de repente?

— Achei que você tivesse dito que ele estava cansado – riu Nathan ao evitar uma lambida na boca.

— Ele estava — disse ela, se apressando para prender a guia. — Acho que o descanso na viagem deve ter ajudado.

Boomer se apoiou na perna de Nathan e se ergueu admirado.

— Parece que você fez um amigo — disse Jennifer. — Quer caminhar conosco?

— Claro. Só me deixe trancar o carro.

O parque estava cheio naquela hora do dia. Mães assistindo aos filhos brincarem no parquinho, corredores com fones de ouvido e monitores cardíacos, executivos no horário de almoço, todos tinham vindo até ali aproveitar o sol. Enquanto esperava pelo retorno de Nathan, Jennifer seguiu procurando em sua cabeça onde ouvira o nome dele antes.

Nathan Koslow.

Não era um cliente — ela se lembraria — nem alguém de sua vida antiga. Talvez trabalhasse na prefeitura, pensou. Cada eleição parecia trazer uma série de rostos estranhos, e ela nunca conseguia se lembrar de todos. Quando ele surgiu voltando do outro lado do estacionamento, Jennifer percebeu que olhou para seu Toyota Tundra preto e ergueu uma sobrancelha.

— Essa coisa é sua?

— É claro. Por que não seria?

— Por nada — ele disse, espanando pelos de cachorro de sua camisa. — Você só não faz o tipo.

E que tipo seria esse?, ela se perguntou, entregando a ele seus óculos de sol.

— Aqui, para você não esquecer.

Ele apanhou os óculos e os três iniciaram o caminho.

Mesmo depois de passar metade da manhã fechado na picape, Boomer estava em seu melhor comportamento, andando junto e olhando para os dois de tempos em tempos. O ar fresco e o sol eram agradáveis, e Jennifer sentiu sua irritação começar a passar. Nathan Koslow não era a primeira pessoa a comentar sobre sua escolha de veículo, e, afinal, Boomer parecia estar apreciando a companhia dele. Uma caminhada no parque podia não ser muito especial, mas pelo menos ele não estava implorando para voltar à picape.

— O Boomer normalmente tenta arrancar meu braço quando saímos para caminhar. Ele deve gostar de você.

— Eu gosto dele também. Me lembra o cachorro que eu tive quando garoto.

— Verdade? Qual era o nome dele?

Natan olhou para o chão e sacudiu a cabeça.

— Não importa.

Eles chegaram a uma área cercada onde os cães podiam ficar soltos. Nathan abriu o portão e os três entraram. Um solitário carvalho branco se erguia no meio da área plana e gramada, com sua coroa massiva de folhas que já começava a pegar o distinto tom marrom avermelhado do outono — as bolotas já enchiam o chão. À direita havia bancos para as pessoas sentarem e relaxarem.

— Parece que estamos sozinhos aqui — ele disse.

— Sim. Um tanto surpreendente, considerando que está um belo dia.

Jennifer removeu a guia de Boomer e jogou uma vareta que pegara pelo caminho. O cachorro saiu correndo, apanhou a vareta ainda no ar e a trouxe de volta, ultrapassando sua mão estendida e a oferecendo a Nathan. Depois de se provocarem um pouquinho, Nathan conseguiu pegar a vareta. Ele ergueu o braço e a jogou de novo, fazendo com que esta atravessasse o gramado, aterrissando perto da cerca.

— Você deveria se sentir honrado – disse Jennifer quando Boomer saiu em disparada. – Ele normalmente não gosta de homens. Pelo menos não de nenhum que eu conheça.

Nathan sentou-se ao lado dela no banco.

— Ele é obviamente um animal muito preconceituoso.

Ela sorriu.

— Sempre achei.

Boomer havia perdido a vareta na grama alta, e Jennifer observou enquanto ele começava uma busca frenética para recuperá-la. Do outro lado, no parquinho, os gritinhos de alegria haviam se tornado gritos de revolta. Alguém estava monopolizando o escorregador.

— Então – disse Nathan. – Eu vi você no autódromo, você viu meu carro no hotel, agora estamos os dois em Atlanta. Quais são as chances?

Jennifer mordeu os lábios. Seria apenas uma pergunta inocente, ela se perguntou, ou ele estaria atrás de informação? Seria mais fácil descobrir se pudesse lembrar por que aquele nome era tão familiar. Ela quase podia ouvir Stacy lhe sussurrando conselhos sobre assassinos em série.

Ah, não seja ridícula.

— Estou de férias. Boomer e eu vamos pegar a Rota 66 até a costa.

Ele riu.

— Seu clube de leitura acabou de ler *On the Road – Pé na Estrada*? Vá pela interestadual, é mais rápido.

Jennifer sentiu seus lábios se enrijecerem. O sarcasmo, junto à sua própria decepção, parecia uma provocação. Qual era a jogada dele?

— Não é simplesmente para chegar lá *mais rápido*. É para apreciar a história, o cenário e o... o...

— Asfalto quebrado, as ruínas e as vacas? – ele zombou. – Deixe disso. Você é nova demais para ser nostálgica, não é?

— Eu poderia te perguntar a mesma coisa – ela disse, friamente. – Já que você está indo pelo mesmo caminho.

— Sim, mas perceba: eu não estou de férias. Estou sendo pago para fazer isso.

Jennifer olhou para o outro lado, fingindo procurar Boomer para absorver o fragmento de informação nova. Então ele estava ali a trabalho. Para quem esse cara trabalhava, ela se perguntou. Para o Departamento de Transportes? Serviço público? Se ela não descobrisse logo acabaria enlouquecendo.

Boomer voltou saltitando com a vareta e começou a provocar Nathan com ela, fingindo estar pronto para entregá-la enquanto se afastava de novo.

— Então, o que você faz? – ele perguntou. – Quando não está de férias.

Ele era absurdamente curioso para alguém que acabara de conhecer, pensou Jennifer. Não tinha lido em algum lugar que Ted Bundy parecia um cara normal?

— Relações públicas.

Nathan jogou a vareta novamente e Boomer disparou.

— Ah, então você é uma marqueteira.

— Não é o termo que eu usaria – disse ela, observando seu cachorro sair correndo.

Ele sorriu.

— Então me conte: quais as coisas maravilhosas e historicamente significativas você já aproveitou até aqui?

Depois que ele a chamara de marqueteira, Jennifer não estava certa de querer lhe contar. A verdade era que o passeio dela e de Boomer estava bem fraco. Apesar disso, parecia bobagem não responder.

— Muitas coisas — ela disse. — Jantamos no Restaurante Rota 66, fomos até Wilmington e vimos o Gigante de Gemini.

Ele sorriu.

— E o que você achou? Decepcionante, não?

— Um pouco — disse ela, rangendo os dentes. — Vimos várias pontes cobertas também, e paramos em diversos mirantes. Fomos ver Paul Bunyon e agora estamos aqui.

— Tudo isso em uma manhã? — disse Nathan com um assobio. — Estou cansado só de ouvir.

Jennifer se controlou para manter o controle. Por que ele estava sendo tão arrogante? Um ato de gentileza com o seu cachorro não chegava a dar o direito de criticar o que ela estava fazendo. Quando Boomer trotou de volta com a vareta, ela se aproximou e a apanhou.

— Quer saber? Acho que o Boomer já se exercitou bastante. Nós vamos indo.

Nathan pareceu não se importar.

— Tudo bem — disse ele. — Levo vocês até o carro.

— Não precisa — ela disse com um sorriso forçado. — Acho que lembro o caminho.

Boomer, no entanto, estava relutante em ir embora.

Típico macho, pensou ela ao puxar a guia e começar a arrastá-lo pelo portão. Se exibindo para o amigo novo, e agora que ela queria ir embora estava fazendo drama.

— E para onde vocês vão agora? — perguntou Nathan ao atravessarem o estacionamento.

Jennifer fechou os olhos e respirou fundo. Sim, ele era irritante, mas Nathan Koslow — quem quer que ele fosse — tinha feito uma coisa boa por ela. Não seria rude, não seria incivilizada, mas também não diria a ele nada além de adeus. Ele recebeu seu agradecimento, os óculos de sol, e acabava ali.

— Não sei — ela disse ao destrancar a picape. — Acho que vamos rodar um pouco para ver o que acontece.

Ela abriu a porta traseira e bateu no banco, encorajando o cachorro a entrar.

— Vamos lá, Boomie. Solte a vareta e entre — ela disse. — Não temos o dia todo.

Boomer olhou para o outro lado. A vareta ficou onde estava.

— Eu disse para soltar a vareta. — Jennifer pegou de dentro da boca dele e jogou para longe.

— Talvez ele esteja cansado — disse Nathan. — Aqui, deixe-me ajudar.

— Não, não faça isso — ela retrucou. — Ele consegue entrar sozinho.

— Não é problema algum — respondeu ele, apanhando Boomer em seus braços.

Antes que Jennifer pudesse impedi-lo, Nathan acomodou o cão no banco de trás e ajeitou a coleira.

— Se você estiver procurando algo de que o Boomer possa gostar, tem um museu do hidrante a uns quinze quilômetros daqui — disse olhando para ela. — Vinte dois enfileirados e uma fonte em cada ponta. Vocês deveriam passar lá.

— Obrigada. Talvez iremos.

— Pronto.

Nathan deu um passo atrás e fechou a porta.

— Estou curiosa — disse Jennifer. — Como você sabe dos hidrantes? Não há nada sobre isso nos meus guias de viagem.

— Ah, eu sei muita coisa sobre informações de viagem. É isso o que eu faço ultimamente.

Quando a ficha finalmente caiu, Jennifer quase engasgou. *Nathan Koslow*! Não era de se estranhar que ela não tivesse lembrado antes. Ela estava pensando nele como o cara legal que a ajudara no autódromo, não no cão de briga da *Tribuna*. Quem lesse as colunas dele pensaria que o cara não tinha coração.

— Acabei de lembrar quem você é. Você escreve na *Tribuna*. Eu lia a sua coluna.

Ele acenou com a cabeça, mas seu sorriso diminuiu um pouco.

— Obrigado – disse ele. – É sempre bom saber dos fãs.

— Eu nunca fui uma fã – ela respondeu. – Você já esviscerou mais de um cliente meu no passado.

Nathan deu de ombros.

— Bem, se eu fiz, eles deviam merecer.

Jennifer queria arrancar aquele sorriso do rosto dele. Nathan Koslow costumava ser alguém importante na cidade antes de começar a jogar lama nas pessoas erradas. Ela podia apostar que não fora a única que respirou aliviada quando a coluna dele foi cancelada.

— Ninguém merece ter sua imagem pública manipulada assim – disse ela, exaltada.

— Sim, mas você não tem problema em fazer isso do seu jeito. Por favor.

Jennifer estava furiosa. De onde ele tirou que podia comparar o trabalho dela com as bobagens imaturas e sujas que ele escrevia? Ela não precisava ficar ali ouvindo aquele cara justificar seu mau comportamento. Puxou a porta para abrir e sentar no banco do motorista, mas antes que pudesse fechar a porta Nathan começou a se aproximar.

– Olha, desculpa se eu te magoei. O fato é que foi bom ver você outra vez e eu agradeço por devolver meus óculos de sol. Mas era o meu trabalho escrever aquelas colunas, e eu nunca fui atrás de gente que fosse muito fraca ou pobre para se defender sozinha, ao contrário dos seus clientes. Você poderia pensar nisso antes de me condenar.

Ele deu um passo atrás e Jennifer bateu a porta.

O nariz de Boomer estava colado ao vidro, com os olhos focados em Nathan quando a picape partiu. Nathan ergueu a mão e acenou um adeus, com um aperto de autorreprovação no estômago. Ele apanhou a vareta de Boomer e jogou o mais longe que pôde, então voltou para o Mustang. Ao se acomodar no banco da frente, podia ouvir o conselho de Rudy em seus ouvidos.

Aprenda a calar a boca, espertalhão.

CAPÍTULO 10

Stacy estava sentada em sua mesa, almoçando e revendo as fotos de Jennifer em seu computador, imaginando como elas ficariam mais bem dispostas na tela. Se ela queria mesmo fazer uma página em memória de Boomer, disse para si mesma, precisava ficar muito bom. Mas até ali, pensou, a coisa toda estava se mostrando muito mais difícil do que esperava.

A ideia veio depois que Jennifer lhe mandou um vídeo de Boomer tomando café da manhã. Assistir a um cachorro comer pedaços de carne cobertos de molho em uma caixa de isopor era tão engraçado que Stacy tinha assistido repetidamente, rindo cada vez mais. As coisas que viralizavam na internet não chegavam nem perto de serem tão boas assim. Não seria legal criar uma página dedicada ao Boomer para Jennifer visitar depois que ele partisse?

Infelizmente, no entanto, ter uma ideia para uma página na internet e criar uma de verdade eram coisas radicalmente diferentes, com decisões para se tomar a cada passo do caminho, e não demorou muito para que Stacy empacasse. Como vamos chamá-la? Qual estilo usaria no fundo? Como as fotos ficariam dispostas, e quais gráficos deveria incluir? Ao dar outra mordida em seu sanduíche, ela sentiu desânimo. Parecia que seus planos eram maiores que seu talento.

— Por que essa cara?

Olhou para cima e viu Derek Compton caminhando na direção de sua mesa. Stacy estremeceu. Já tinha acabado a hora do almoço? Na verdade, ela nem sabia se poderia usar o equipamento da empresa para algo assim mesmo em seu horário livre. Deixou seu sanduíche de lado e tentou pegar o mouse para fechar a janela antes que seu chefe visse o que estava fazendo.

— Ah, você sabe – disse ela vagamente. – Só essa... coisa que eu estava tentando fazer.

— Que coisa? – Ele deu a volta para olhar a tela. – Não é o cachorro da Jennifer?

— O Boomer, sim – respondeu Stacy, engolindo em seco. – Jennifer prometeu me mandar fotos todos os dias para eu saber onde ela está. Você sabe, por segurança. Eu já vou fechar aqui...

— Espere.

Ele se aproximou para olhar melhor.

— São fotos boas... boa resolução. Queria saber a câmera que ela usou.

— Eu acho que foi só com o iPhone dela.

Ele acenou com a cabeça.

— U-hum. E como é mesmo o nome do cachorro?

— Boomer.

Agora que sabia que não seria punida, Stacy ficou feliz em compartilhar sua ideia para o site. Mostrou algumas de suas fotos favoritas na tela.

— Ali está ele sentado na limusine a caminho do autódromo, e ali em frente do Gigante de Gemini. Ela mandou essa faz alguns minutos.

— U-hum, sim – concordou Compton. – E aqueles ali são GIFs?

— Sim – disse ela entusiasmada. – Quer ver um? São bem engraçados.

A cena de Boomer engolindo a comida fez seu chefe rir ainda mais alto que ela. Stacy se alegrou, satisfeita que seus instintos estivessem corretos.

Ele deu um passo atrás e coçou o queixo pensativo.

— Então, o que você quer fazer com isso?

Ela sentiu o rosto enrubescer, envergonhada de admitir quão fracassada havia sido sua tentativa de criar um site. As habilidades de Derek Compton nessas mídias eram lendárias. Aquele homem provavelmente poderia criar um site premiado dormindo.

— Bem – ela disse. – Pensei que seria legal fazer um site com as fotos que ela tem mandado. Algo que Jennifer pudesse ter para lembrar de Boomer quando ele, você sabe, se for.

— Um site? – O olhar dele se aprofundou. – O quão longe você foi? Já escolheu um servidor? Decidiu o nome do domínio?

Stacy sacudiu a cabeça. Nome de domínio? Argh! Ela se sentia tão incompetente.

As portas do elevador se abriram e alguns membros da equipe de mídia social saíram. Compton olhou para eles e acenou.

— Jason, você tem um segundo? Quero te perguntar uma coisa. – Ele se voltou para Stacy. – Você chegou a pensar em fazer uma página no Facebook?

Ela olhou nervosa de Compton para Jason algumas vezes.

— Err, não, na verdade não. Eu, eu podia... acho. – Ela sentiu o rosto aquecer. – Para falar a verdade, eu não cheguei tão longe.

Jason se aproximou deles com um sorriso aberto. Ele era alguns anos mais velho que Stacy, mas tinha uma cara realmente jovial, e a forma como falava fazia com que ele parecesse mais novo. Eles haviam conversado algumas vezes na sala de descanso, e ela o achava fofo, mas a única vez que tinham flertado foi porque ele precisava de um favor. Jennifer achava que ele passava muito tempo bajulando o chefe.

— E aí? — ele disse.

Compton apontou para a tela do computador

— Dê uma olhada nessas fotos e me diga o que acha.

Jason andou ao redor da mesa e se aproximou para olhar mais de perto.

— Stacy, você conhece o Jason, não?

— Claro — ela respondeu, se sentindo como um animal encurralado.

Compton segurou o mouse e clicou no GIF de Boomer tomando café da manhã. Quando a carne e o molho esvoaçaram, os dois homens gargalharam.

— Isso foi épico! — se esganiçou Jason, examinando as outras fotos na tela. — É o cachorro da Jennifer Westbrook?

— Sim. Aparentemente ela tem mandado fotos pra Stacy enquanto está de férias.

— U-hum.

Jason pegou o mouse e clicou em uma das fotos para ampliar.

— A resolução dessas fotos é incrível — comentou, olhando para cima. — Então, qual é o plano?

— Uma página de memorial para o Boomer. Estou pensando em fazer como uma página do Facebook e gerenciar pela agência.

Stacy olhou para os restos de seu sanduíche, desejando que os dois fossem embora. O memorial fora sua ideia, e eles estavam falando como se ela nem estivesse ali.

— Eu gosto — sorriu Jason. — Com a história do cachorro estar morrendo pode ficar realmente impactante.

— Exatamente o que eu pensei – disse Compton. – Escutem, por que vocês não botam as cabeças para trabalhar juntas e colocam a página no ar daqui uns dois dias?

Stacy engasgou.

— Tão cedo?

Ela estava pensando que o memorial seria algo para mostrar a Jennifer quando ela voltasse de viagem, não agora. Sentia-se como se estivesse na frente de um trem em alta velocidade.

— Claro, por que não? – disse Jason. – O material é incrível.

— Mas e o restante das fotos? – questionou Stacy. – Se fizermos o site agora elas não vão entrar.

— Podemos adicionar conforme chegarem. Vamos manter a página ativa. – Ele olhou para o chefe. – Precisamos correr com isso. Depois que o cachorro morrer, vira notícia velha.

Derek Compton concordou, pensativo.

— Acho que Jason tem razão, Stace, mas a decisão é sua. Uma página privada é legal, mas divulgar a história de Boomer poderia ajudar muita gente na mesma situação que Jennifer. Por pior que seja perder seu cachorro, pode deixar um pouco mais fácil se ela souber o quanto ele significou para outras pessoas.

Stacy mordeu o lábio. Ela estava começando a desejar nunca ter colocado as fotos no computador para início de conversa. O objetivo de uma página memorial era ser particular – um presente dela para Jennifer. Claro, a ideia de Jennifer adorar e considerar algo digno de publicação passou pela sua cabeça, mas essa decisão seria dela. E, se Stacy concordasse em deixar Jason ajudá-la, já não seria mais algo só dela. O que tinha começado como uma troca pessoal entre as duas se tornaria um esforço de equipe.

— Eu não sei...

— Vamos fazer assim – disse Compton. – Por que você não manda para o Jason as fotos que você tem até agora e vemos o que ele e o time dele poderiam fazer? Se eles trouxerem algo que você se encante, ótimo, colocamos no ar. Se você não tiver certeza ainda fica com algo pra mostrar a Jennifer quando ela voltar. É uma boa ideia, não?

— Sim – disse ela, ainda desconfortável com tudo. – Mas acho que deveria falar com a Jennifer sobre isso antes.

— Você tem certeza? – ele pareceu espantado. – Achei que você quisesse fazer uma surpresa.

— Sim, eu queria...

— Então vamos manter assim – definiu ele. – Confie em mim, não importa quando isso for a público, quando Jennifer ver o bom trabalho que você fez, ela vai ficar empolgada.

Stacy concordou. Com o que ela estava preocupada? O presidente da Compton/Sellwood tinha se oferecido para transformar sua ideia em algo mil vezes melhor do que qualquer coisa que ela poderia ter feito sozinha. Antes de ele se aproximar, ela estava pronta para desistir de tudo. Como pôde pensar em fazer aquilo sem ajuda profissional? Além disso, Jason não iria agir sozinho e tornar tudo público por sua conta; Stacy e Jennifer ainda teriam a palavra final.

— Ok – ela respondeu por fim. – Eu topo.

— Excelente – disse Compton, de olho no relógio. – Enquanto isso, fim da hora de almoço. Stacy, envie estas fotos para o Jason começar a mexer nisso de imediato. Jason, venha ao meu escritório quando tiver o primeiro rascunho para discutirmos melhor essa ideia.

CAPÍTULO 11

O engenheiro que projetou a Ponte da Velha Cadeia de Pedras começou com um simples, ainda que desafiador, objetivo: construir uma estrada sobre o rio Mississippi, ao norte de St. Louis, na fronteira de Illinois com o Missouri. O motivo era claro, já os nomes dos que decidiram a extensão de vinte e sete quilômetros de pedras se perderam na história, e o resultado disso foi uma das estruturas mais assombrosas dos Estados Unidos. Onde mais você poderia encontrar um percurso de quase dois quilômetros de aço e concreto com uma curvatura de vinte dois graus no meio?
— "Uma ponte longe demais", por Nathan Koslow, repórter

O jantar daquela noite foi cerveja com batatas fritas e queijo, comidas em um canto escuro do bar Whoop-de-Doo em Troy, Illinois. Nathan dividia suas batatas com uma mulher chamada Tiffany, da qual ele seriamente suspeitava que só estivesse sentada em sua mesa por ter se impressionado com o carro de Rudy. Enquanto ele estava ali sentado se embebedando lentamente, ela preenchia o silêncio com frivolidades, aparentemente sem se preocupar com o fato de ele mal ter pronunciado uma palavra desde que entraram.

Havia um e-mail de Julia em sua caixa de entrada quando retornou ao hotel: a *Tribuna* decidira não publicar sua história sobre a corrida. Ela disse que havia uma guerra em andamento com o novo editor do caderno de esportes, mas Nathan suspeitava que isso estivesse relacionado ao seu baixo prestígio no trabalho. Se Morty tivesse escrito o artigo conforme planejado, será que haveria algum problema? Julia complementou dizendo que eles talvez conseguissem usar o artigo como parte da sua série sobre a Rota 66 se ele cortasse as partes com informações esportivas e focasse mais o ângulo de entretenimento familiar, mas aquilo era provavelmente só um afago em seu ego. Tanto fazia.

Ele apanhou seu copo vazio, fez uma careta e estremeceu da cabeça aos pés. Dirigir estava acabando com ele. Seus ouvidos zumbiam, suas mãos estavam amortecidas e parecia que os músculos de suas costas tinham apanhado com um bastão. Quem quer que tivesse ajustado a suspensão do Mustang precisava ter a cabeça examinada. Se isso continuasse assim, Rudy teria que adicionar fisioterapia aos custos da entrega de seu carro.

Tiffany interrompeu seu monólogo e o encarou.

— Aonde você vai, querido?

— Pegar mais uma. Quer alguma coisa?

— Por que você não espera a garota? — ela perguntou olhando ao redor. — Ela deve voltar em um minuto.

Ele sacudiu a cabeça.

— Preciso me exercitar.

— Bem, não se canse — disse ela com uma piscadela sugestiva. — A noite é uma criança.

O garçom lançou um olhar cético quando ele se aproximou, mas Nathan lhe deu o que esperava ser um sorriso convincente. É claro, ele parecia um pouco trêmulo, mas isso era culpa do

Mustang, e de toda forma o seu hotel estava a poucas quadras de distância. Nathan poderia dirigir depois de mais uma bebida. Só não conseguiria ouvir Tiffany mais um pouco sem beber.

– O que você vai tomar?

– A mesma coisa – disse, apoiando o copo.

O homem concordou, mas não fez menção de pegar o pedido.

– E a sua namorada?

Nathan olhou para a mesa.

– Ela não é minha namorada.

Em algum lugar do fundo um timer soou. O garçom ergueu a mão.

– Só um segundo.

Quando o homem desapareceu, Nathan se recostou no bar. Seu hálito estava forte, e sua boca parecia ter sido recheada com bolotas gordurosas de algodão sabor queijo. Talvez ele não devesse tomar aquela cerveja, pensou. Se tomasse, poderia acabar fazendo algo estúpido, como levar Tiffany para seu quarto de hotel.

Ele olhou para a loira oxigenada sentada em sua mesa e recebeu um aceno que fez as batatas fritas em seu estômago se revirarem. Ele estava gostando de vê-la evitar o olhar interessado de outros homens no bar em seu favor. Quem se importava que ele estivesse se exibindo com o brilho desmerecido do carro de seu irmão? Nathan não ganhava atenção de uma mulher havia algum tempo.

Entretanto, depois de ouvir Tiffany falar sem parar enquanto atacava as batatas com suas unhas que mais pareciam garras, seu próprio interesse diminuiu a um ponto que, mesmo se ele se desse bem, não seria algo bom. Infelizmente, se livrar dela não seria fácil. Os homens que poderiam ter tomado o seu lugar haviam encontrado alguém interessado e, se Nathan a dispensasse, ela faria uma cena. Bem, ele pensou, com isso seriam duas mulheres que ele irritaria no mesmo dia.

Nathan abriu os olhos e encarou o teto acústico. Ele estava deitado na cama de seu quarto de hotel, com uma dor enorme atrás dos olhos. O lugar fedia a bebida e cigarros velhos. Ele se levantou apoiado em um cotovelo e olhou ao redor. Ainda estava usando as roupas da noite anterior e Tiffany não estava em lugar nenhum por perto. O que quer que tivesse ocorrido depois daquela última cerveja, ele não se lembrava. Nunca mais, ele jurou. Ele não precisava desse tipo de problema. Sentou-se e esperou o quarto parar de girar, então foi para o banheiro tomar uma ducha. O tempo estava correndo, e ele ainda tinha trabalho a fazer.

A água quente banhava seus ombros e escorria pelas costas, enquanto Nathan esperava a volta de sua inspiração. O trato que tinha feito com Julia começava a parecer uma má ideia. Ele sabia que ela esperava que ele entretivesse os leitores com dicas de lugares para visitar e histórias sobre os infinitos e fascinantes marcos ao longo da Rota 66, mas aquele não era um lugar turístico. Mais parecia um museu malcuidado com exposições modernas espalhadas ao longo de longos e surrados quilômetros de estrada. Devia ter sido monumental em seu primor, mas havia um motivo pelo qual a interestadual havia se tornado a Estrada-Mãe obsoleta.

E havia outras questões também, mais inquietantes. Quando os vários segmentos que compunham a Rota 66 foram construídos, ninguém parou para pensar em quem ou o que seriam destruídos no processo. Isso não era exclusividade daquela estrada, é claro, mas parecia errado simplesmente enfeitar essa parte da história para seus leitores. Ao dar à sua editora as boas histórias que ela desejava, Nathan estaria ignorando questões importantes que ainda ecoavam por ali um século depois. Como você separa o espírito empreendedor dos anos 1920 e 1930 das injustiças daquela era? Ou o charme dos hotéis em forma de tenda do extermínio da população indígena? Algum dia seria justificável destruir a natureza em nome do progresso?

Nathan desligou a água e apanhou uma toalha que era só um pouco mais macia do que uma escova de cabelo. Ele sabia o que Julia diria. Discutir injustiças e desigualdade era tarefa do caderno de política, e as pessoas que liam a seção de Vida & Estilo queriam escapar dos problemas e reclamações. Sua tarefa era escrever uma série de artigos de viagem, ponto. Se a *Tribuna* quisesse sua opinião, não teria cancelado sua coluna.

Agora que ele estava finalmente limpo, o cheiro dentro do quarto do hotel o deixou nauseado. Nathan fez as malas, assinou sua saída do hotel e dirigiu até uma padaria no fim do quarteirão. Lá o wi-fi era mais rápido, e ele poderia escrever tanto quanto faria em seu quarto. Ele pediu um café e um bolo, pegou uma mesa e abriu seu computador. Ao olhar para as anotações que fizera na véspera, contudo, sua mente voltou a pensar em Jennifer Westbrook.

Nathan ainda não conseguia acreditar na velocidade com que as coisas entre eles saíram de controle, e ele mal conseguira tempo para pedir que ela explicasse o incidente com o cão-guia no autódromo. Em um momento ele estava brincando de jogar a vareta para o cachorro, e no outro ela estava batendo a porta da picape na cara dele. Até mesmo para ele, aquilo devia ser um recorde.

Seus dedos sobrevoavam o teclado. Talvez ele devesse pesquisá-la no Google, descobrir algo sobre Jennifer Westbrook para não precisar especular ainda mais. Talvez alguma parte dele estivesse curiosa para saber em qual de seus clientes ele havia batido com mais força. Apenas lhe dizer que eles mereceram o que tiveram parecia mesquinho. Se ele soubesse de quem ela estava falando, poderia lhe dar os detalhes sobre o que sabia. Será que teria problema se o seu próximo artigo para Julia atrasasse um pouco? Eram grandes as chances de que ela não o publicasse em um futuro próximo. Ele abriu seu navegador e digitou *Jennifer Westbrook*.

As duas primeiras entradas eram anúncios pagos da Compton/Sellwood, uma empresa de relações públicas com a qual Nathan passara a ter familiaridade. Era uma agência pequena em Chicago, mas conhecida por manter contratos com clientes poderosos do mundo político, mantendo controle severo sobre suas imagens públicas. A terceira entrada era uma nota sobre o prêmio CLIO, e a próxima era um artigo da Wikipédia sobre Jennifer Marie Westbrook. Ele clicou naquele e começou a ler.

Nascida em Fulton, Illinois, filha de Wilfred e Ida Westbrook...

Ele estivera em Fulton certa vez. Era uma cidade minúscula na fronteira com o Iowa. Uma das cidades do Quadrilátero, em depressão econômica e cheia de moinhos. Ela provavelmente crescera em uma fazenda. Ele não devia ter feito o comentário sobre a picape.

Coroada Miss Illinois jovem... Deixou a faculdade para seguir uma carreira de modelo...

Não era surpreendente. Não com aquelas pernas.

Casou-se com o agente Victor Ott...

Maldição! Nathan forçou um sorriso ao sentir suas esperanças começarem a desaparecer.

Divórcio turbulento... Sem filhos...

Tudo bem, ele estava de volta ao jogo.

Indicada executiva de propaganda do ano... Atualmente gerente de contas sênior na Compton/Sellwood... Seus prêmios incluem...

Suas sobrancelhas se ergueram ao avistar a longa lista de prêmios e honrarias que ela recebera. Carambola. Essa mulher estava muito fora de seu padrão.

— Tudo bem — disse ele ao fechar o navegador. — De volta à realidade.

Espalhou suas anotações pela mesa e começou a trabalhar. A entrevista com curadores e as visitas a sítios históricos não tinham contribuído muito para a produção de qualquer artigo, e ele passou por mais postos de combustível históricos do que gostaria na vida inteira. Quantos outros sinônimos para "pitoresco" ele encontraria? A ideia de voltar e tentar extrair mais informações pessoais de Mabel era tentadora, mas ele suspeitava que seus esforços se mostrariam inúteis. Isso o deixava com o último lugar que visitara. A Ponte da Velha Cadeia de Pedras.

Duas horas e quatro xícaras de café depois, Nathan tinha um artigo refinado de trezentas palavras pronto para mandar para Julia. Assim que ele incluísse algumas fotos, sua editora teria mais que o suficiente para preencher qualquer espaço que tivesse reservado. Foi só quando ele olhou seu telefone que se lembrou: não havia tirado nenhuma foto da ponte.

Isso não importava, não estava longe. Ele só precisava passar por lá e bater algumas fotos a caminho do lugar que visitaria hoje: as Fazendas Purina. Depois de ficar sentado os últimos dois dias no Mustang, seria bom poder sair e esticar as pernas um pouco e, além disso, artigos sobre animais são sempre um sucesso. Também havia a possibilidade de, com alguma sorte, ele encontrar Jennifer e Boomer por lá. Nathan ainda tinha algumas perguntas a lhe fazer.

CAPÍTULO 12

Jennifer estava sobre a Ponte da Velha Cadeia de Pedras, agarrada nas grades enquanto ela e Boomer espiavam o feroz rio Mississippi abaixo. Eles já tinham caminhado a ponte inteira, ida e volta, e era hora de fazer uma pausa. Desde que saíram de casa, o nível de energia de Boomer tinha sido imprevisível. Havia momentos, como ontem na praça para cães, em que ele saltava e brincava como sempre, e outros em que tudo que ele parecia querer fazer era dormir. Se eles desejavam chegar à costa oeste, precisavam ajustar o ritmo.

Boomer se inclinou para a frente, de olho nas formas prateadas que saltavam longe de seu alcance. O rio turbulento e caudaloso, com águas ricas em oxigênio, estava repleto de peixes naquela época do ano. Jennifer apontou quando eles emergiram.

– A maioria deles são picões-verde – disse. – Mas ali tem um guelra-azul... e um bagre. Eu costumava pescar esses quando era criança. A gente comia bastante bagre.

Comida de pobre.

Era assim que as crianças da escola chamavam o bagre: alimento da ralé, comida de pobre. Mesmo hoje, com todo o dinheiro e sucesso que ela conquistara, aquilo ainda machucava. *As coisas que acontecem com você na infância parecem nunca estar longe*, ela pensou, *e tocam todo o resto da sua vida*. Se ela não tivesse tanta vergonha de ser pobre na época, talvez sua vida tivesse sido muito diferente. Ela não teria caído nos encantos de Vic, nem teria medo de tirar uma folga do emprego para ficar com seu cachorro, e talvez dissesse não para clientes de ética questionável.

Boomer estendeu a pata pelo vão na madeira e tentou pegar um peixe da água.

– Não, Boomer. Esses peixes são muito escorregadios para pegar. Venha. Vamos sentar um pouco.

Ali tudo estava pacífico e silencioso. O vento estava começando a soprar, criando um redemoinho de folhas caídas que dançavam ao longo da margem do rio. Jennifer encontrou um banco atrás do quebra-vento entre duas árvores e sentou. Boomer pulou para o seu lado e apoiou a cabeça em seu colo. Ela começou a acariciar seu pelo, limpando distraidamente os pedaços de folhas e galhos que pareciam grudar nele magicamente sempre que saíam na natureza. Eles estavam a sós ali; os únicos sons que ela ouvia eram da água batendo nas margens e o farfalhar das folhas. Ela deveria estar aproveitando, pensou Jennifer, mas em vez disso vasculhava o cérebro em busca de algo para fazer.

Talvez devessem dar meia-volta e ir para casa, considerou. Havia realmente algo na Rota 66 que eles não poderiam ver ou fazer mais perto de casa? Cada vez que Boomer torcia o nariz para algo que ela pensava que ele poderia gostar, Jennifer se sentia culpada, com uma voz em sua cabeça dizendo que ela deveria saber, que, se tivesse passado mais tempo conhecendo Boomer de verdade e menos tempo no escritório, ele estaria se divertindo agora em vez de dormir no banco de trás enquanto ela o arrastava de um lugar para outro. Talvez ela fosse simplesmente incompetente. Veja o Nathan Koslow. Ele conseguiu pensar em algo divertido para Boomer e nem tinha um cachorro.

Jennifer ficou pensativa, se lembrando da forma como agira no parque. Não era de sua natureza ser grossa com as pessoas, nem mesmo com alguém que merecia, como ele. Nathan Koslow não tinha feito nada pessoal contra ela, afinal. Na verdade, era exatamente o contrário. Ele não só a tinha salvado no autódromo, mas também passou adiante uma dica que serviu para um passeio especial com seu cachorro. Talvez ela só estivesse zangada com ele por apontar algo que estava ignorando havia algum tempo: os clientes sobre quem ele escreveu *mereceram* o que tinha acontecido.

Ela ouviu o motor de um carro e o som de rodas sobre as folhas no estacionamento. Então ouviu a porta de um carro abrir e fechar. Com os arbustos atrás dela, não conseguia ver quem era, mas os passos pesados que se aproximavam pareciam os de um homem. A cabeça de Boomer se ergueu, e ela sentiu o pelo em suas costas se eriçar. Jennifer engoliu em seco, tentando não pensar nas duas garotas que foram estupradas e mortas naquela ponte anos antes e tiveram seus corpos jogados no rio. Subitamente, a solidão parecia assombrosa, ameaçadora. Ter Boomer junto de si não era o mesmo que uma testemunha humana por perto.

Boomer saltou do banco e farejou o ar conforme os passos se aproximavam. Não era nada, pensou consigo, provavelmente só alguém querendo ver a ponte, mas seu cérebro já entrara em modo de sobrevivência. Jennifer apanhou bolsa, pegou as chaves e seu telefone. Se fosse atacada, usaria as chaves como arma, tiraria uma foto de seu agressor e ligaria pedindo ajuda.

Que boba, disse para si mesma, mas ainda assim não guardou os objetos.

Então Boomer soltou dois latidos curtos e, antes que ela pudesse segurá-lo, disparou, atravessando os arbustos. Jennifer ouviu os passos parando, um movimento rápido e a voz de um homem.

– Ei, Boomie. O que você está fazendo aqui?

Quando avistou Nathan, Jennifer caiu de volta no banco.

– Ah. É você.

– Sim. Só eu.

Boomer estava dançando ao redor dele, atingindo Nathan com sua cauda e mordiscando suas mãos estendidas.

Jennifer resmungou.

– Eu não falei "só" você.

– Nem precisava – apontou ele. – O que você tem aí? Spray de pimenta?

Ela estendeu as mãos.

– Chaves? Celular? Boa ideia – ele comentou. – Já estou assustado.

Quando Jennifer guardou as coisas na bolsa, Nathan olhou ao redor.

– Já vi que vocês dois estão em outro passeio divertido e empolgante. Vocês andaram pela ponte de um lado para o outro? Acho que é alegria e diversão demais para um dia só.

Jennifer balançou a cabeça. E ela estava se sentindo culpada por ter sido grossa com o cara. Por que ele precisava ser tão irritante?

– O que você está fazendo aqui?

Nathan mostrou seu celular.

– Vim tirar umas fotos para o jornal. Desculpe se incomodei.

Ele se dirigiu à ponte, com Boomer andando junto a seu calcanhar, e começou a andar pela terra, em busca de um caminho por entre a vegetação para a margem abaixo. Jennifer olhou ressentida.

O que tinha nesse cara que interessava tanto seu cachorro? Era como assistir a uma versão canina do Flautista Mágico.

– Como foi no museu do hidrante?

– Ah, foi muito bom – disse Jennifer.

Ela estava tão agitada com a súbita aparição dele que esquecera de agradecê-lo pela dica.

– Tinha mais alguns cães lá também. Obrigado por nos falar do lugar.

Nathan testou um passo e começou a descer para perto da água. Boomer fez algumas tentativas fracas para segui-lo, então desistiu e começou a caminhar ao redor, resmungando veementemente. Jennifer caminhou até a beirada, então colocou a coleira de volta e os dois assistiram Nathan continuar sua descida.

– Sinto muito pelo que eu disse ontem. No parque. Você estava certo: nós dois só estávamos fazendo nosso trabalho.

– É, bem, eu perdi o meu – disse ele. – Pode dizer para os seus clientes que eles vão dormir em paz agora.

A encosta começou a ceder, derrubando uma pequena avalanche de terra e pedras. Quando Nathan começou a escorregar, Jennifer encurtou a coleira para evitar que Boomer descesse correndo atrás dele.

– Eu pensei no que você disse também. Talvez eles merecessem o que você escreveu a respeito deles.

Nathan procurou um apoio para se equilibrar.

– Então você fez por merecer o seu salário, não é?

Jennifer voltou a morder os lábios. Por que os comentários tão ácidos? Ele não estava vendo que ela tentava se desculpar?

– Eu *disse* que sinto muito.

— Tenho certeza de que sente – respondeu ele, se esforçando para se manter de pé.

— Então por que você está sendo tão babaca?

Nathan finalmente chegou ao chão firme no final da encosta. Tirou uma foto da ponte, então olhou para ela, pensativo.

— Deve ser porque eu sempre faço isso quando estou nervoso.

Jennifer se surpreendeu.

— E por que você está nervoso?

— Porque – ele disse ao começar a subida pela encosta. – Você é uma mulher inteligente... e bem-sucedida – continuou, se segurando em uma raiz para se erguer à beirada –, com uma aparência tão melhor que a minha que nem tenho certeza se somos da mesma espécie.

O comentário audaz e autodepreciativo fez Jennifer começar a rir. Ao que parecia, Nathan Koslow não era apenas um comentarista ácido, mas também um autocrítico ferrenho.

Boomer saudava o retorno de Nathan com uma alegre reprimenda, rosnando levemente ao puxá-lo para longe do precipício.

— Eu acho que você encantou o meu cachorro – ela disse.

Ele sorriu.

— Só o cachorro?

— Sim – respondeu Jennifer hesitante. – Por enquanto.

— Então – perguntou Nathan, acariciando Boomer. – Para onde vocês vão hoje?

Ela deu de ombros.

— Sinceramente, acho que vamos é para casa.

— Não faça isso. Não desista.

— Por que não? Boomer está entediado e eu estou sem ideias. – Ela tocou a covinha do queixo. – Você estava certo. Todo esse plano da Rota 66 foi estúpido.

— Não, não estava – ele respondeu. – Vamos, eu provo para você.

A Fazenda Purina estava sediando seus Jogos Caninos anuais, e aquilo era tudo que Jennifer estava procurando. Havia animais de fazenda para Boomer cheirar, cães para cumprimentar e exposições interativas de ração de cachorro para provar e votar no sabor favorito. Ele saltou por um percurso de obstáculos, conheceu o porco Costela e levou um jato de leite na cara ao chegar perto demais de uma demonstração de ordenha. Para um cachorro que passou a vida inteira em uma casa de três cômodos na cidade, era o paraíso.

— Isso foi incrível – disse Jennifer quando saíram da sede do evento. – Obrigada mais uma vez por nos contar deste lugar.

Nathan fechou o rosto.

— Isso faz quase parecer que vocês estão de partida.

— Nós estamos. Acho que Boomer já fez muita coisa por hoje.

— Mas ainda tem tanto para fazer. – Ele olhou para os gramados, currais e construções inexploradas. – Achei que isso era o que você estava procurando.

— E é – ela respondeu. – E agradeço de verdade por ter nos trazido aqui. Mas quero ir embora antes que ele fique muito cansado.

Os dois olharam para Boomer, que sorriu para eles, ainda com restos de leite em seu bigode.

— Ele não parece cansado para mim – disse Nathan. – Será que vocês não podem ficar pelo menos para a competição de fantasias?

Jennifer hesitou. Ela sabia o que ele devia estar pensando. Depois de reclamar que não encontrava nada empolgante para fazer, ela estava indo embora do melhor lugar que encontraram até então. Se Nathan soubesse o quão doente Boomer estava, ele provavelmente entenderia, mas ela não conseguia nem pensar sozinha sobre isso, quem dirá contar para alguém. Era o que sempre fazia quando coisas ruins aconteciam.

Nós não somos pobres, eu só não estou com fome. O papai não está morto, só está dormindo. Vic não me bateu, foi só um acidente.

Nathan olhou para ela, inquisitivo, e Jennifer percebeu que ele ainda esperava por uma resposta. Talvez fosse hora de parar de fingir. Talvez ela pudesse contar para ele sobre o Boomer, e o mundo não acabaria por isso. Por algum motivo que não entendia bem, ela pensou que ele poderia entender a situação. Respirou fundo e forçou um sorriso.

— Que tal irmos almoçar?

Eles pediram cachorro-quente e batatinhas na barraca e sentaram em um banco de piquenique. Boomer se deitou embaixo da mesa e começou a mastigar um dos petiscos que tinham comprado para ele na loja de presentes. Jennifer olhava para sua comida, querendo dar uma mordida enquanto procurava as palavras para falar sobre a condição de seu cachorro, mas sua garganta estava apertada e ela sentia que poderia engasgar. Nathan terminou seu primeiro cachorro-quente e começou o segundo, aparentemente inabalado pelo ar reticente dela. Ela lambeu os lábios, absurdamente grata que ele não a estivesse pressionando por mais detalhes.

— Nós tivemos uma notícia ruim antes de sair para a viagem. Na verdade, é esse o motivo pelo qual estamos aqui.

Ele acenou com a cabeça e pegou uma batata do saco, sem falar nada. Era como se ele não se importasse se ela contaria ou não. Jennifer se lembrou de que Nathan Koslow estava acostumado a entrevistar pessoas relutantes. Não era de se estranhar que ele fizesse as pessoas falarem, pensou. Ele era bom nisso.

– De toda forma, em resumo, o Boomer está morrendo. Ele tem uma condição cardíaca incurável. O veterinário me disse que ele tem um mês de vida e eu pensei... – Jennifer parou, se esforçando para manter a voz firme. – Pensei que poderíamos fazer algumas coisas divertidas no tempo que ele ainda tem, que eu poderia compensar por todas as vezes que ele ficou sozinho enquanto eu estava no trabalho.

Uma lágrima correu por sua bochecha e ela limpou prontamente.

– Então essa é a minha história – disse ela, por fim. – O que você acha?

Nathan comeu a última batatinha e amassou o pacote, com uma força que destoava de sua calma aparente. Ele olhou para ela e sacudiu a cabeça.

– Que droga.

CAPÍTULO 13

Stacy estava sentada diante do computador de Derek Compton, encarando a página do Facebook que Jason e a equipe de mídia social criaram para Boomer. Sem dúvida, a página de memorial que eles criaram estava muito além de qualquer coisa que ela poderia ter feito sozinha: o design estava incrível, e as fotografias que Jennifer enviara para ela foram recortadas e editadas profissionalmente. Mas tudo aquilo parecia mais uma das campanhas publicitárias controversas pelas quais a Compton/Sellwood era famosa, em vez da simples celebração da vida de um cão que ela imaginara. Enquanto os dois homens a observavam por trás, à espera de sua reação, ela tentava pensar em algo para dizer que não soasse ofensivo.

— Chama-se *O último desejo de Boomer*?

Jason concordou.

— Acho que isso resume tudo: um cachorro morrendo faz o que quer em sua última viagem antes de partir. Minha equipe trabalhou nisso a noite inteira. Você gostou?

— Sim — ela respondeu, se contorcendo na enorme cadeira. — Acho que sim.

Ele cerrou os olhos.

— Como assim "acha que sim"?

— Eu não sei. É só... um pouco diferente do que pensei que seria.

As mãos de Stacy estavam pegajosas. A forma como Jason a encarava a deixava nervosa. Ela olhou para o chefe, na esperança de que ele achasse tudo aquilo tão exagerado quanto ela, mas, em vez disso, Derek Compton acenou com a cabeça, concordando.

— Você e a sua equipe fizeram um ótimo trabalho — ele disse. — Acho que ela só está maravilhada, não é, Stace?

Ela engoliu em seco, tentando ignorar seus pensamentos. Criticar algo que alguém havia feito só para ela seria muito grosseiro, pensou. Sem a ajuda deles, o melhor que poderia fazer seria reunir um punhado de fotos com algumas legendas toscas, algo pelo que se desculparia com Jennifer no instante em que ela visse. Só porque *O último desejo de Boomer* não era exatamente da forma que ela imaginara, disse Stacy para si mesma, não significava que precisasse mudar.

Os dois homens ainda estavam ali parados esperando por uma resposta.

— É muito melhor do que eu esperava — ela comentou. — Acho que eu não sei o que dizer.

Com aquilo, a tensão na sala se aliviou. A aprovação dela não só reduziu a careta de Jason mas pareceu dar a ele carta branca para demonstrar as funcionalidades mais interessantes do site para o chefe. Novamente, Stacy se viu jogada para escanteio.

— Tem uma seção de comentários para os visitantes que quiserem deixar uma mensagem de apoio ou compartilharem suas próprias experiências, mas por enquanto vamos permitir apenas as curtidas no conteúdo.

— É uma boa ideia – disse Compton. – Vamos precisar manter o conteúdo sob rédea curta, não queremos que ninguém sequestre o projeto.

— Concordo. E, quando vierem mais fotos, a Stacy pode me enviar, que nós vamos editar e publicar.

— Já temos uma conta no Twitter preparada?

— Estou trabalhando nisso.

Enquanto os dois homens falavam diante dela, Stacy começou a navegar pela página. Era um site bem legal, e Boomer parecia estar se divertindo. Ela esperava que, quando Jennifer visse aquelas fotos, isso aliviasse um pouco a dor da perda.

— Por que tem essa propaganda aqui?

Jason lançou a ela um olhar irritado.

— Não é uma propaganda. Ninguém está ganhando dinheiro com isso.

— É só uma forma de lembrar as pessoas que a nossa agência está administrando a página – disse Derek Compton. Ele olhou longamente para Jason. – Sabe, você podia colocar uma boa foto da Stacy em algum lugar. Afinal, o memorial no site foi ideia dela.

Ela engoliu em seco novamente. Jennifer nunca dera permissão para que mais alguém visse as fotos. A única razão pela qual concordara em enviá-las, para começo de conversa, foi porque Stacy a tinha convencido de que ela estaria mais segura assim. Ela já estava inquieta com a forma que o projeto estava tomando. Se o seu nome e rosto estivessem ali também, pareceria que ela estava completamente por trás de tudo.

Pelo menos a página ainda não estava no ar, pensou. Mesmo que Jennifer ficasse chateada que as fotos tivessem sido compartilhadas, quando Stace explicasse o quão incapaz ela era e o quanto queria muito fazer uma boa página de memorial para Boomer, tinha certeza de que Jennifer entenderia. Você não pode culpar uma pessoa por tentar fazer um bom trabalho, pode?

Ela sacudiu a cabeça.

— Não precisa. Não faço questão do crédito.

— Tem certeza? — perguntou Compton. — Podemos mandar um dos nossos melhores fotógrafos fazer uma imagem glamorosa sua. — Ele olhou para Jason. — O quão difícil seria isso?

— É possível — falou Jason titubeante. — Mas teríamos que tirar a página do ar enquanto atualizamos, e isso pode assustar nossos seguidores. Mudar uma página não é a mesma coisa que simplesmente adicionar conteúdo.

— Espere um pouco — disse Stacy. — A página não está no ar, está?

— É claro que está — rosnou Jason. — Você não achou que a gente ia ficar esperando, né? Esse projeto inteiro tem uma duração muito curta.

— Eu acho que devia ter mencionado antes — disse Compton, com um ar culpado. — Eu dei a autorização para a equipe na noite passada.

Pânico e remorso subiram pela garganta de Stacy de forma quase sufocante. Por que ela foi mostrar para eles as fotos? Tudo que ela queria era fazer uma coisa legal, algo para que Jennifer pudesse olhar para trás quando Boomer partisse e se lembrar do quanto se divertiram na viagem. Agora todas aquelas fotos particulares estavam sendo usadas não para o memorial de Boomer, mas para vender a marca Compton/Sellwood. Os dois tinham usado a ideia dela para se promover. Será que algum deles sequer considerou o impacto que isso teria nela ou em Jennifer?

Sentiu-se enojada. E se Jennifer visse a página e detestasse? E se ela ficasse brava com Stacy por mostrar as fotos para outras pessoas? Elas sempre tiveram uma boa relação, quase como amigas. Como, se perguntava Stacy, ela fora colocar tudo a perder?

Ela precisava sair dali. Se ficasse no escritório de Compton mais um segundo, iria começar a gritar. Levantou-se abruptamente e se dirigiu para a porta.

— É melhor eu voltar para o trabalho. Obrigada por me mostrar.

— Sim — disse Jason saindo atrás dela. — Preciso voltar para a minha sala também.

Stacy foi pisando duro para sua mesa e começou a verificar se tinha mensagens no telefone, marcadamente ignorando Jason. Agora que tinham saído da sala de Compton e a pressão se aliviara, ela estava furiosa. Como ele pôde fazer aquilo? Para alguém tão temeroso de ter suas ideias sequestradas, ele certamente não teve pudor nenhum de roubar as dela. Quando foi pegar o telefone, desejou que Jason simplesmente fosse embora. Ele já não tinha feito o bastante para bagunçar a vida dela?

Ela olhou para ele afiada.

— Posso te ajudar com alguma coisa?

Jason pareceu indiferente ao seu humor hostil.

— Sim, quando você pode enviar o restante das fotos para a minha equipe? Precisamos começar a aumentar essas curtidas logo.

Ela sentiu os lábios se enrijecerem.

— Não me importa quantas curtidas essa página estupida ganhe. Não era para você botar no ar. Eu falei que queria fazer algo só para a Jennifer.

Ele pareceu confuso.

— Então por que você quis fazer um site?

— Eu não queria. Eu só queria fazer... alguma coisa...

Stacy resmungou em sua cadeira. O que ela tinha tentado fazer? O que quer que fosse, parecia ter se perdido em algum lugar no meio do caminho. Começou pensando em fazer um álbum de colagens, mas isso tomaria tempo demais, e ela não era o tipo de pessoa que fazia artesanato. E, além disso, como as imagens já estavam digitalizadas, por que não fazer algo que Jennifer pudesse ver no computador, como um protetor de tela ou algo assim? Mas ela não tinha ideia de como fazer aquilo, e os GIFs eram muito engraçados, e não dava para transformá-los em protetor de tela, ou dava?

Então, sim. Ela talvez *quisesse* fazer um site. Mas era pra ser um presente, algo pessoal que Stacy pudesse dar para Jennifer como algo de uma amiga para outra, não uma armadilha publicitária. Em vez de memorializar a vida curta de Boomer, Jason havia explorado a situação. Stacy estava agora envergonhada de ter contado a alguém sobre isso. Cerrou a mandíbula.

— Não vou te mandar mais nenhuma foto – ela disse.

— O quê? Por que não?

— Porque você já terminou a página. Não precisa de mais nada.

— Você está brincando? As pessoas querem ver algo novo sempre que voltarem. É o império do conteúdo. Uma página estática é uma página morta.

— Tudo bem – ela exclamou. – O Boomer vai morrer logo. Existe um número limitado de fotos que alguém pode tirar desse cachorro, então você pode parar agora mesmo.

Jason arqueou a sobrancelha.

— Não acho que o senhor Compton veja isso dessa forma.

Talvez, se ele fosse legal, pensou Stacy depois, ela poderia ter cedido. Seu trabalho, afinal, era fazer as coisas acontecerem com tranquilidade na agência, cuidar dos detalhes tediosos que os artistas, designers e executivos da publicidade não tinham tempo de resolver. Mas, se Jason Grant achava que podia fazê-la dar o que desejasse ameaçando levar o caso para o chefe, era melhor pensar direito. Ela sabia como caras feito o Jason a viam. Achavam que ela não era ninguém, uma das pessoas menores que agia nos bastidores, facilmente substituível, alguém sem importância. Bem, não era assim que Jennifer a via, e não era assim que Stacy permitiria ser tratada também. Ela ergueu o queixo e marcou seu território.

– Eu. Não. Ligo. Não vou te dar mais nenhuma das *minhas* fotos. Se quiser alguma, vai ter que ir tirar você mesmo.

Ela estava esperando por uma avalanche de protesto em resposta. Mas, em vez disso, Jason deu um passo atrás e ergueu as mãos se rendendo.

– Você está certa, as fotos são suas. – Seu sorriso desarmava as pessoas. – Desculpe. Acho que perdi a cabeça.

Stacy se viu à procura de uma resposta. Aquela reviravolta inesperada a tinha desestabilizado. Perguntou-se se tinha julgado mal a situação. Talvez Jason não fosse um cara mau, no fim das contas.

– Obrigada – disse ela. – Fico contente que você entenda. Sem ressentimentos, não é?

– Absolutamente – ele respondeu. – Sem ressentimento nenhum.

CAPÍTULO 14

Os Ozarks são uma das mais persistentes ilusões de ótica na natureza. Conforme se dirige para o oeste pelo Missouri, eles parecem crescer ao seu redor, com suas pequenas e modestas cidades à beira da estrada aninhadas entre os deslumbrantes montes e vales. Mas os Ozarks não são montanhas, e a estrada onde se encontram fica localizada no fundo de uma fenda que atravessa um elevado platô. A menos que você observe de cima, é difícil reconciliar a verdadeira natureza do fenômeno com a experiência de estar no meio dele.
— "Os Ozarks, a ilusão de ótica da mãe natureza", por Nathan Koslow, repórter

Jennifer e Boomer passaram o dia seguinte apreciando a vista enquanto atravessavam o Missouri. A leste, os rios entrecortavam as terras baixas: alguns eram apenas um filete, enquanto outros extravasavam água branca. Ocasionalmente cruzavam algum por uma ponte humilde de madeira, com laterais pintadas que traziam a lembrança de um tempo quando não só as viagens de carro, mas a própria vida, era mais lenta, menos caótica. Jennifer respirou fundo e aliviou o aperto no volante. Sem e-mails para responder nem reuniões para ir, a constante tensão em sua vida, que ela aceitava como normal, estava finalmente aliviando. Ela precisava dessa viagem tanto quanto Boomer, pensou. Estava contente de não ter desistido.

Contar a Nathan sobre o diagnóstico de Boomer fora a coisa certa a fazer. Quando ele deixava de lado os comentários inoportunos e sarcásticos, era realmente alguém atencioso e disposto a ouvir, e era um alívio finalmente tirar isso do peito. Ele também ajudava a aliviar ansiedade de encontrar coisas para Boomer se divertir, oferecendo seus próprios recursos para montar uma lista de lugares amigáveis para cães ao longo da rota. Eles marcaram de se encontrar naquela noite em Carthage e assistir a uma exibição dupla no Drive-in da 66: *Beethoven* e *Beethoven 2*. Não era exatamente entretenimento de alta qualidade, mas ela estava cansada de ficar fechada em seu quarto de hotel toda noite, e Boomer poderia gostar de ver os cachorros na telona. Desde então, Jennifer prometeu para si mesma parar de se culpar e simplesmente aproveitar momentos divertidos e cotidianos com seu cão.

Alguns quilômetros depois de Rolla, eles pararam para brincar de pegar a vareta e dar uma caminhada ao longo da costa do rio Gasconade, onde Boomer aprendeu a diferença entre uma tartaruga-de-ouvido-vermelho e uma tartaruga-víbora. A lição dolorosa foi curta, no entanto, e logo em seguida ele estava saltando novamente na água, alheio a qualquer forma de vida selvagem que ficasse em seu caminho. Jennifer se deitou na encosta do rio e sorriu. Pela primeira vez desde que saíra do consultório do dr. Samuels, ela estava aproveitando o presente em vez de se arrepender do passado. Era como se finalmente encarar a verdade fizesse tudo aquilo mais fácil de aceitar.

Boomer se arrastou para fora d'água, soltou a vareta do lado dela e começou a se sacudir. Jennifer deu um gritinho e ergueu a mão, em uma tentativa de se esquivar da água fria e lodosa do rio que voava por todo lado.

– Não, Boomer! Pare! – ela riu.

Jennifer se levantou rapidamente e correu para a picape para buscar uma das toalhas de praia na traseira. Quando Boomer finalmente terminou de sacudir toda a água e musgo de seu pelo, ela passou a toalha nele e o esfregou. Quando ficou tão seco quanto era possível com aquela toalha, eles voltaram para a picape e seguiram para Springfield. As silhuetas ligeiramente arredondadas dos Ozarks se erguiam pelos dois lados, cobertas pelo vermelho e amarelo do começo do outono, e o ar da estação tinha um aroma de madeira queimada. Enquanto a picape abria caminho para além dos lagos azuis e quedas d'água intensas, Jennifer ligou novamente o aquecedor. Boomer deitou a cabeça no banco e suspirou satisfeito. Não demorou muito para que ele estivesse dormindo profundamente.

Em Springfield, Jennifer parou para abastecer e levou Boomer para caminhar no parque mais próximo. Os dias estavam ficando perceptivelmente mais curtos agora, e o sol já beirava o horizonte, mas eles estavam a cerca de uma hora de Carthage, e pela primeira vez em algum tempo não estavam à procura desesperada de um hotel. Por saber para onde iam, Jennifer pôde ligar e fazer reservas, e teve sorte de conseguir. A mulher ao telefone informou que era o último quarto disponível para aquela noite.

Ao voltar para a estrada, no entanto, Jennifer sentiu-se ansiosa. Concordar em ver Nathan novamente tinha sido um impulso louco da parte dela, mas seria mesmo uma boa ideia? Jennifer vinha de um lugar conservador no meio oeste e se orgulhava de ter a mente aberta, mas não era de seu feitio fazer planos impulsivos com um estranho. Pelo menos, pensou consigo, não mais. Havia sido uma atitude impensada, impulsiva, que a levara a um casamento desastroso com Vic, afinal. Ela não estava disposta a repetir aquele erro.

Mas Nathan não era um completo estranho, Nathan sabia de sua reputação, e ele era gentil com ela e Boomer. E, além disso, a oferta de ajudá-la a encontrar lugares interessantes para seu cachorro era boa demais para recusar. Contudo, disse para si mesma, não era um encontro. Nathan Koslow podia ser bonito, mas os comentários provocativos e ácidos eram desgastantes. Se Jennifer estivesse procurando alguém, iria querer um homem que fosse sério, alguém maduro. Nathan estava mais para um irmão caçula irritante do que um namorado em potencial.

O hotel Boots Court em Carthage era uma parte autêntica da história da Rota 66. Uma construção branca de um único andar com o teto reto, cantos arredondados e toldos vermelho vivo faziam parecer que era feito de Lego. Quando Jennifer tirou Boomer da picape, ela olhou rapidamente pelo estacionamento. Nathan dissera a ela que chegaria lá no meio da tarde, mas já era quase cinco e meia, e o Mustang azul não estava em lugar nenhum por ali.

De súbito, seu bom humor evaporou. Ela estava contando com as dicas dele de lugares para cães para o restante da viagem. O que iria fazer agora? Não deveria ter confiado nele, pensou ao apanhar sua bagagem. Viver com o Vic não lhe ensinara nada? É só você dar poder a um homem e acaba sozinha. Boomer ainda cochilava no banco de trás. Ela deu uma leve sacudida nele e passou sua coleira.

– Vamos lá, dorminhoco. Você pode terminar essa soneca no quarto.

Talvez fosse bom Nathan não ter aparecido, pensou. Ela estava com dúvidas sobre encontrá-lo mesmo. Assim, podia simplesmente dar meia-volta e ir para casa na manhã seguinte sem ninguém para tentar convencê-la do contrário. Apesar disso, ao atravessar a soleira da porta, não conseguiu evitar a decepção.

Ela disse seu nome na recepção e assinou o termo de responsabilidade, se comprometendo a pagar por qualquer dano envolvendo animais em seu quarto. Jennifer não estava preocupada. Boomer era metódico com os horários de suas necessidades, e o último incidente em que mastigara algo foi com os Manolos. A sua única preocupação era evitar que ele latisse, mas se ela não o deixasse sozinho no quarto por muito tempo isso não seria um problema.

Quando a atendente se retirou para o cômodo de trás para pegar a chave de seu quarto, Jennifer ouviu a porta da frente se abrir.

– Ei – disse Nathan. – Você chegou.

Confusa com os sentimentos de alívio e preocupação, Jennifer não respondeu. Ela estava contente que ele tivesse chegado a salvo, e feliz que ele a ajudaria com seu itinerário, mas a revelação que tivera sobre poder confiar em alguém ainda ressoava em sua cabeça. Será que se encontrar com ele era ir atrás de problemas?

Boomer, é claro, não tinha essas preocupações. No instante em que Nathan passou pela porta, seu traseiro começou a sacudir e ele saltitou alegre para recebê-lo. Nathan se abaixou e segurou sua cabeça, sacudindo carinhosamente.

– Como foi a viagem?

– Boa – ela disse. – Cadê o seu carro?

Ele apontou com o dedo para trás de seu ombro e começou a afagar a barriga de Boomer.

– Na oficina. Achei que já era hora de cuidar de algumas coisas, estou com vazamento de óleo desde que saí de Joliet. Encontrei um mecânico na rua que falou que daria uma olhada e me passaria o veredito pela manhã.

Nathan olhou para cima e franziu as sobrancelhas.

– Tem algo de errado?

– Não – ela disse. – Só estranhei não ter visto o seu carro.

– Você estava preocupada comigo.

– Eu não estava *preocupada*.

– Com vergonha de ir ver o filme sozinha, então?

– Não, só achei que talvez você tivesse mudado de ideia.

– Sobre o nosso encontro? Nunca!

Jennifer cerrou os lábios.

– Nós vamos levar o meu cachorro no cinema drive-in – ela disse. – Não é um *encontro*.

A atendente do balcão voltou da sala de trás e se aproximou de onde eles estavam parados. Ela olhou para a chave em sua mão.

– Achei que você disse que queria quarto para uma pessoa.

– Sim, uma pessoa e um cachorro – disse Jennifer.

A mulher apontou.

– Eu estava falando dele.

Nathan levou a mão ao peito e deu um olhar de "quem, eu?" para ela.

– Não, nós não estamos juntos. Ela só me seguiu até aqui.

E Jennifer ainda pensava que ele não era tão ruim assim. Devia estar louca.

– Eu não *segui* você – ela sibilou.

– Tá, tudo bem – ele sussurrou. – Eu não me importo.

— Bem, vocês podem dividir o quarto se quiserem – disse a atendente. – Mas não posso reembolsar ninguém. Os quartos já estão pagos.

— Eu não preciso de reembolso nenhum – disse Jennifer arrancando a chave da mão da mulher. – E nós *não* estamos juntos.

Jennifer nunca estivera em um cinema drive-in antes. Sua família era pobre demais para levá-la a um quando criança, e quando ela já tinha seu próprio dinheiro para gastar, havia formas mais sofisticadas de entretenimento à disposição. Vic nunca teve vergonha de comprar ingressos para estreias no cinema em seu nome e sempre aproveitava a oportunidade de ser visto pelas pessoas exibindo sua "descoberta" em público. Enquanto ela manobrava a picape por entre os carros espalhados no estacionamento diante da tela gigante, era como se estivesse voltando no tempo para tentar recuperar um pedaço da infância que perdera da primeira vez.

— Se você entrar de ré na vaga, nós três podemos sentar na traseira – disse Nathan.

Jennifer dirigiu lentamente pelo corredor, à procura de uma vaga livre, ainda incerta. Deitar na traseira de uma picape não era a mesma área neutra que dentro da cabine com seus assentos delimitados. Além do quê, ficar apertados como sardinhas enquanto assistiam um filme parecia excessivamente com um encontro. No entanto, se os três quisessem ver a tela, teriam que encontrar uma forma melhor do que dois na frente e um atrás como estavam agora. Ela só precisava garantir que Boomer se deitasse entre eles.

Ela encontrou uma área com várias vagas adjacentes e parou, apontando para a fileira de estacas de metal que separavam a área com um percurso em zigue-zague. As estacas eram dentadas e coloridas, como um lembrete dos perigos de se estacionar no escuro.

— Como é que eu vou estacionar de ré ali com essas coisas no caminho?

— Essas "coisas" fazem parte do encanto. As pessoas vêm aqui para se lembrar de como as coisas eram antigamente.

— Nem todas as coisas precisam ser lembradas — ela resmungou. — Se eu arranhar a pintura do meu carro nessas coisas vou arrancar tudo.

— Sim, mas você é uma pessoa prática. Nostalgia não é prática. — Ele abriu a porta. — Vamos lá. Eu te ajudo a manobrar esse paquiderme.

Quando a picape estava estacionada em segurança, Nathan se encaminhou para a barraca de refrescos e Jennifer começou a transformar a caçamba da picape em um cinema improvisado. Abriu a bolsa de Nathan, tirou de dentro duas almofadas que trouxera do quarto e as colocou no final da cabine traseira. Então estendeu uma lona, parabenizando-se por ter comprado um forro isolante para o piso. Por fim, ajeitou os travesseiros e cobertores, tentando encontrar uma forma de não deixar sua picape parecida com um quarto sobre rodas.

— Ok — ela disse a Boomer. — Lembre-se do que combinamos. Você vai deitar aqui, no meio, e cada um senta de um lado.

Ela desceu e tamborilou no meio da cama improvisada, encorajando seu cão.

— Vamos lá! Pula aqui e deita. É bem confortável.

Boomer apoiou as patas na beirada e inspecionou o ambiente improvisado. Jennifer olhou para trás. Nathan estava voltando.

— Vamos, Boomster, não me enrola — ela continuou. — Vem aqui e deita logo.

Ele entrou e começou a rodear a cama. Nathan estava a apenas quatro carros de distância.

— Pronto — ela sussurrou. — Deitado. Deitado. Deitado *agora*!

Por fim, Boomer entendeu a dica e esticou o corpo pelo meio da cama, dividindo exatamente o centro. Agora o leito tinha o lado dele e o lado dela. Jennifer suspirou aliviada.

— Bom garoto.

— Quem é um bom garoto? — Nathan apoiou a pipoca e as bebidas na traseira do carro, admirando o trabalho dela. — Ei, ficou bom. Obrigado.

Ela sorriu.

— O Boomer ajudou. Foi por isso que eu falei que ele era um bom cachorro.

Nathan se acomodou na traseira da picape e acariciou as costas de Boomer, bagunçando seu pelo alegremente.

— Você é um bom menino, Boomie? É você? É sim!

Boomer se deitou de lado, em um pedido nada sutil por carinho na barriga, e Jennifer fechou a cara. Sua divisão exatamente ao meio estava caminhando perigosamente para um dos cantos.

— Não, não faça isso — ela disse. — Acabei de acalmá-lo.

— Ele está bem — respondeu Nathan. — E tem bastante espaço aqui atrás.

Conforme Boomer seguia rolando, Jennifer começou a calcular quanto espaço havia sobrado no lado menor da linha divisória. Ficaria apertado, mas ela não precisava de muito espaço. Estava esfriando também, então ela não se importaria de ter um cachorro quentinho ao seu lado. Ela só precisava impedi-lo de chegar até a beirada. Apoiando as mãos na traseira do carro, ela se jogou sobre a pilha de cobertas e foi para seu lado da cama. Ainda havia espaço, pensou, contanto que Boomer não fosse... mais.... nenhum... centímetro...

Então, como uma roda sobre um tapete, Boomer seguiu rolando e rolando ao longo da cama e acabou encostado firmemente em uma das laterais. Jennifer rangeu os dentes. Nesse momento uma buzina soou e as luzes piscaram.

— O que foi isso? — ela perguntou.

— O aviso de dois minutos — respondeu Nathan erguendo um dos cobertores. — Melhor se cobrir que o filme já vai começar.

Relutante, Jennifer se acomodou ao lado de Boomer. Nathan ofereceu a ela uma lata de refrigerante, então apoiou a pipoca no colo e se arrastou para o lado dela. Conforme ele se acomodava, podia sentir o calor de seus quadris e coxa irradiando nela. Segundos depois, as luzes se apagaram e os créditos começaram a passar.

Jennifer se inclinou e murmurou na orelha de Boomer.

— Espero que esteja satisfeito.

CAPÍTULO 15

O mecânico limpou as mãos em um trapo ao emergir do fundo de sua loja e cumprimentar Nathan com ar de médico pronto para dar um diagnóstico infeliz. Seus olhos azuis se destacavam em seu rosto desgastado pelo tempo, e o macacão cinza emoldurava sua silhueta, mas seus punhos eram tão assustadores quanto os de um lutador de boxe. Ele guardou o trapo em seu bolso traseiro e estendeu a mão. Era como apertar um torno.

— Então? — perguntou Nathan. — Qual o veredito?

— Bem, a boa notícia é que é só um vazamento de óleo. Se fosse na caixa de direção ou fluido de transmissão seria muito pior.

— E a má notícia?

— A má notícia é que está vazando de todo lado. Da junta do cabeçote, do selo retentor, da junta do cárter, alguns piores que os outros — disse dando de ombros. — A borracha se desgasta na mesma velocidade, então essas coisas acabam acontecendo ao mesmo tempo.

Nathan acenou com a cabeça. Ele não estava surpreso. Era bem isso o que esperava.

— Você consegue consertar?

O homem cocou a cabeça, pensativo.

– Tenho a maior parte das peças aqui na oficina, mas esse motor não é original, e teria que pedir a junta do cabeçote de Springfield. Estou bem ocupado agora, mas se eu conseguir a peça hoje à noite posso entregar o carro no sábado.

Dois dias.

– Vou precisar discutir isso com o meu irmão. O carro é dele. Você pode me passar um orçamento para eu avisá-lo o quanto vai custar?

O homem entrou na oficina, pegou uma folha de pedido, a preencheu, assinou e entregou para Nathan.

– Quando falar com o seu irmão, diga que esse serviço precisa ser feito logo. Vai ser muito mais fácil substituir algumas juntas agora do que um motor inteiro depois.

– Obrigado – disse Nathan. – Aviso sim.

Ele saiu do estacionamento e discou o numero de Rudy.

– Três mil por uma porcaria de junta? – Rudy berrava como uma vaca no cio. – Onde você encontrou esse vigarista?

– Ele não é um impostor. Peguei o nome dele na Associação Automobilística. É um mecânico certificado.

– Não. Absolutamente não. Nenhum babaca da terra dos caipiras vai encostar no meu carro. Tenho um cara aqui que vai fazer o serviço direito.

Nathan rangeu os dentes. Ninguém no mundo conseguia irritá-lo tanto quanto seu irmão mais velho.

– Ótimo. Maravilha. Você tem um cara. Infelizmente, o que você não tem é o carro. O que você quer que eu faça?

Rudy bufou irritado, e Nathan quase conseguia visualizá-lo chutando o chão frustrado.

– Tá bom, você vai fazer o seguinte. Ainda dá para dirigir, certo? Volte para a estrada e corra para cá. Se você pegar a interestadual, como deveria ter feito desde o começo, consegue chegar aqui em vinte e quatro horas.

— Desculpe, não vai dar.

— O quê? Por que não?

— Tem uma área muito grande sem cobertura de celular daqui até Los Angeles e o carro já está esquentando. Não vou arriscar ficar parado no meio do nada porque você não confia neste cara.

— Ei, foi você que me perguntou o que eu queria que você fizesse, e eu respondi.

— Sim, mas isso foi quando eu pensei que você iria oferecer algo razoável.

— Como o quê?

— Ou dar carta branca para este cara terminar o serviço, e eu termino a entrega quando ele acabar, ou encontrar alguém para entregar o carro daqui.

Houve um longo momento de silêncio, durante o qual Rudy sem dúvida quis estrangular o irmão caçula. Nathan segurou a língua. Ele já estivera em negociações suficientes para saber que o primeiro a falar costumava ser o perdedor.

— Tá bom. Manda entregar então — disse Rudy por fim. — Mas se o meu carro chegar com um mísero arranhão é você quem vai pagar. E pode avisar pro caipirão que ele vai ter que encontrar outro otário.

— Ok. Te ligo quando tiver resolvido a entrega.

Nathan sacudiu a cabeça em sinal de desaprovação e guardou o telefone.

Jennifer e Boomer estavam esperando no quarto de hotel quando Nathan voltou do mecânico. As malas já estavam prontas para embarcar na picape, e Boomer tinha feito uma longa caminhada no parque do outro lado da rua. Após o sucesso dos últimos dois dias, ela estava ansiosa pelo próximo plano de Nathan para eles. Não havia lhe ocorrido que as notícias sobre o Mustang pudessem ser tão ruins.

— Então, o que você vai fazer? – perguntou Jennifer.

Nathan sentou em uma cadeira com a cabeça baixa.

— Vou fazer o que o Rudy disse: mandar entregar. O carro não é meu. Que opção eu tenho?

— E depois?

Nathan deu os ombros.

— Voltar para casa de ônibus, acho.

Ela engoliu em seco, tentando não demonstrar o pânico que surgiu em seu peito. Se Nathan partisse, ela estaria por conta própria outra vez, vagando perdida, tentando desesperadamente encontrar algo para fazer com Boomer. E não teria com quem conversar, ninguém para acalmá-la quando Boomer estivesse passando mal, ninguém para distraí-la quando ela começasse a se culpar por tudo que não tinha feito nos últimos cinco anos.

Irracionalmente, ela começou a sentir raiva de Nathan e do irmão dele. Se ele tivesse escrito as sugestões para ela como disse que faria, ela teria pelo menos algumas coisas para fazer. Se Rudy não tivesse insistido que Nathan despachasse o carro imediatamente, ainda haveria tempo para ele fazer a lista antes de ir embora. E mesmo então, pensou Jennifer com tristeza, ele ainda iria embora, e ela sentiria sua falta.

— Você poderia alugar um carro – ela disse. – Assim você termina a viagem e escreve os artigos da estrada conforme prometeu para sua editora.

Nathan sacudiu a cabeça.

— A Julia nunca concordaria com isso. Me mandar escrever os artigos foi a forma de ela evitar que minha viagem virasse férias. Sem o carro do Rudy para entregar, não tem mais motivo para a viagem. E, além disso, você não conhece a Julia. Ela faz o Tio Patinhas parecer um esbanjador.

— Ah.

Jennifer olhou para o chão e sentiu as lágrimas começarem a brotar. Boomer ficaria muito triste sem Nathan por perto, pensou. Ele nunca tivera um homem com quem se divertir antes, alguém que topasse brincadeiras mais brutas do que ela. Os dois eram como parceiros que batiam as cabeças e fingiam lutar um com o outro. Com Nathan, Boomer experimentara algo que ele nunca soube existir. Como ela poderia permitir que isso fosse tirado dele?

— Por que você não vem conosco? — ela perguntou com o coração acelerado.

Nathan ergueu a cabeça.

— O quê?

— Você me ouviu. Encontre alguém para entregar o carro de Rudy e siga na Rota 66 conosco. Você pode me ajudar a encontrar lugares para levar o Boomer e eu te levo nos lugares que você precisa ir para escrever.

— Acho que não. Mas obrigado.

— Por que não? É perfeito.

Ele lançou a ela um olhar cético.

— A sua administradora não iria se importar?

Jennifer havia contado a ele sobre os avisos de Stacy sobre o perigo de pegar pessoas na estrada.

— O que os olhos não veem o coração não sente — ela disse. — Além do quê, Boomer nunca me perdoaria se eu te deixasse aqui.

— Ah, então é o Boomer quem me quer por perto.

Jennifer hesitou. Ela gostava de Nathan – mais do que imaginou que poderia gostar –, mas, se eles fossem viajar juntos, ela teria que impor alguns limites. Desde seu divórcio ela se esforçara bastante para ser independente. Nem mesmo Boomer a faria abrir mão disso por causa de um homem para quem ela nunca teria dado mole na vida "real".

— Isso não é uma proposta – ela disse. – Ainda vamos ficar em quartos separados.

Ele concordou com a cabeça.

— Tudo bem, vou pensar.

— Vai?

— Sim – ele disse. – Mas vamos comer antes. Estou faminto.

Encontraram um café e estacionaram perto da janela para ficar de olho em Boomer. Enquanto esperavam a comida chegar, Nathan ligou para uma empresa de reboque para combinar a entrega do carro de Rudy em Los Angeles e combinou de encontrar o motorista no hotel depois do café. Nada mais foi dito sobre acompanhar Jennifer e Boomer na viagem, mas quando a refeição chegou já estava claro que ele tinha decidido aceitar. Enquanto os dois comiam, Boomer sentou na traseira da picape, tentando acompanhar ao mesmo tempo a conversa e a comida, como um espectador de uma partida de tênis.

— Desculpe comentar – ela disse. – Mas o seu irmão parece um babaca.

Nathan engoliu e sacudiu a cabeça.

— É só o jeito do Rudy. Ele provavelmente está envergonhado porque o grande negócio que ele achou que tinha feito se mostrou uma furada.

Jennifer mordeu um pedaço de torrada e mastigou ferozmente. Talvez Rudy não fosse um cara ruim, mas certamente não tinha consideração alguma. E o fato de que ele estava disposto a arriscar a segurança de Nathan pela própria conveniência era irritante.

A garçonete passou pela mesa e Jennifer pediu uma embalagem para viagem.

– Olha aquela carinha – disse ela, apontando pela janela. – Como dizer não?

Nathan olhou sobre o ombro e riu. Boomer estava fazendo uma excelente imitação de cachorro que passa fome.

– Então – ela perguntou. – Para onde vamos?

– Eu ainda não decidi – ele disse.

– Oi? Achei que você fosse o nosso guia nesta viagem.

– Ah, claro. Como se eu tivesse tempo. Entre a pesquisa para o próximo artigo e te acompanhar no cinema...

– Ei, não foi ideia minha.

– Tá bom, tá bom. Não precisa ficar nervosa. Eu vou pensar em algo. Só deixa eu me livrar desse carro antes.

– Tudo bem – ela disse, balançando a cabeça, séria. – Dessa vez passa.

Eles pagaram a conta e recompensaram Boomer pela paciência, então voltaram para o hotel para encontrar o caminhão de reboque. Enquanto Nathan conversava com o motorista, Jennifer carregou a bagagem na picape e levou Boomer para uma última volta no quarteirão, parando na recepção para devolver as chaves para a atendente.

A mulher ergueu os olhos da tela do computador e sorriu.

– Já estão indo?

– Sim – disse Jennifer.

Ela colocou as chaves no balcão e esperou a mulher imprimir o recibo.

– Vão para onde agora?

– Não tenho certeza. Alguma sugestão?

– Vocês já viram a Grande Baleia Azul?

– A grande...

– Baleia azul, isso. Na divisa com Catoosa, umas duas horas a sudeste daqui. É uma bela vista.

– Em um aquário?

– Não – disse a mulher. – Não é uma baleia de verdade, mas vale a visita. Está no Registro Nacional de Lugares Históricos. Acho que você e o seu cachorro vão gostar.

Jennifer mordeu o lábio, pensativa. Boomer poderia não gostar tanto assim, mas um monumento histórico era algo sobre o qual Nathan poderia escrever. Ele poderia até mesmo incluir algumas fotos de Boomer para mostrar às pessoas o quão divertido o lugar era.

– Obrigada – ela disse. – Acho que vamos sim.

– Ótimo – disse a mulher corando. – Mas, antes de irem, você pode me fazer um favor?

O Mustang já havia partido quando Jennifer e Boomer voltaram. Nathan estava à espera deles no estacionamento, encostado na picape, com os braços cruzados sobre a camiseta, o cabelo loiro esvoaçando na brisa. Quando Jennifer o avistou, ficou ligeiramente sem fôlego. Como ainda não tinha reparado no quanto ele era bonito?

Ele olhou para ela e sorriu quando se aproximaram.

– Bem, o carro se foi – ele disse. – Você está presa comigo.

Ela concordou, ainda um pouco sem ar.

– Ótimo. Maravilha. Ah, a moça da recepção me deu uma sugestão de um lugar para ir, se você estiver interessado.

– Onde?

– A Grande Baleia Azul. Fica uns duzentos quilômetros a sudoeste daqui e está no Registro de Lugares Históricos. Acho que podemos resolver duas coisas de uma vez: Boomer e eu podemos aproveitar o passeio e você vai ter algo sobre o que escrever quando chegarmos ao hotel.

– Parece bom.

Jennifer abriu a picape e colocou Boomer no banco de trás.

– Então, já entregou as chaves? – perguntou Nathan ao se acomodar no banco do passageiro.

– Sim – ela fechou a porta de Boomer e entrou no lugar do motorista. – A mulher da recepção até tirou uma foto nossa.

– É mesmo? – perguntou olhando para o hotel. – Por que será?

– Não sei – disse Jennifer. – Talvez tenha me confundido com alguma famosa.

CAPÍTULO 16

Tinha sido um dia insano na Compton/Sellwood. Com Jennifer fora do escritório, as pessoas estavam com os nervos à flor da pele. Clientes acostumados a encontrá-la vinte e quatro horas por dia ficavam irritados quando suas chamadas não eram atendidas imediatamente, e os executivos de contas que tiveram sua carga de trabalho dobrada do dia para a noite estavam em frenesi. Até mesmo o diretor, o Sr. Sellwood, cuja calma sob pressão era lendária, estava explosivo. A única pessoa que precisava manter um sorriso no rosto era Stacy.

Ela subiu na calçada, ergueu a gola do casaco para se proteger do vento e botou as mãos no bolso fundo. Apesar do frio, decidiu evitar o metrô e caminhar até a casa de Jennifer. A distância era curta, e seria bom esticar as pernas e tomar um ar fresco. Ela precisava de uma oportunidade para clarear a cabeça antes de pegar o trem para casa.

Pelo menos não tivera mais problemas com Jason a respeito de *O último desejo de Boomer*. Depois do encontro no dia anterior, Stacy esperava que ele reclamasse com o chefe, e passara a manhã de trabalho à espera da briga. Quando nada aconteceu, ela se sentiu um pouco desapontada, mas, conforme o dia prosseguiu e a tensão pela ausência de Jennifer aumentou, ela ficou aliviada que a coisa tivesse se resolvido tão rapidamente. Se precisasse defender sua posição quanto às fotos além de tudo, ela talvez tivesse cedido.

A casa de Jennifer ficava em uma silenciosa rua arborizada na região ao leste do rio em Chicago. A construção de três andares tinha uma entrada particular pela frente e janelas com vista para um pátio silencioso. Com a quantidade de dinheiro que ela ganhava, Jennifer poderia bancar uma daquelas casas enormes com fachada de aço e vidro. Ela ter escolhido viver em um lugar mais modesto deixava Stacy orgulhosa de conhecer Jennifer e ainda mais orgulhosa de sua responsabilidade com o lugar. Ao se aproximar da entrada, imaginou como seria viver ali.

Alguém havia deixado um buquê de flores na porta da frente. Stacy apanhou as flores e procurou em vão por um cartão, imaginando se seriam de algum namorado. Jennifer nunca comentara sobre sua vida amorosa – não que devesse, seria pouco profissional –, mas a ideia de que ela tivesse alguém especial em sua vida fazia Stacy feliz. No escritório, as pessoas presumiam que ela fosse frígida ou lésbica. Stacy não se incomodava com nenhuma das opções, mas ela percebera que as pessoas que diziam isso eram geralmente homens que flertavam com Jennifer sem nenhum sucesso. Seria ótimo se eles soubessem, pensou, que ela tinha um amor esse tempo inteiro.

O lugar estava com cheiro de casa fechada quando ela entrou. Stacy torceu o nariz. Ela estivera ali na terça, mas meros dois dias em uma casa vazia eram suficientes para deixar o cheiro. Ela tirou os sapatos e procurou por um vaso para colocar as flores. Não parecia certo deixá-las largadas, e havia uma chance que ainda estivessem frescas quando ela voltasse. Nesse meio-tempo, ela mesma poderia aproveitar quando viesse cuidar da casa. Ajeitou as flores em um vaso e o colocou no balcão da cozinha, então subiu as escadas para abrir as janelas e regar as plantas.

Havia três quartos no piso superior: um para hóspedes, um transformado em escritório e o de Jennifer. Stacy abriu as janelas do quarto de hóspedes, reuniu as plantas e regou cada uma delas, as ajeitando na banheira para secar. Então apanhou uma flanela, deu uma secada em tudo e se dirigiu para a suíte principal.

Era o seu cômodo favorito da casa. O teto com painéis e as paredes peroladas eram tranquilizantes, e a colcha verde-água na cama era feita de um material que parecia ondinhas em uma poça. Como Jennifer, a mobília era atemporal e elegante. Stacy cruzou o quarto e abriu as portas francesas para arejar, então saiu na varanda.

Ela estava de frente para o rio. O sol havia se posto, e a água brilhava sob o reflexo das luzes da cidade. Dois homens de sobretudo caminhavam pela calçada, com a cabeça baixa contra o vento, e ouvia-se a distância o ronco do motor de uma lancha ao se aproximar da costa. Stacy suspirou, pensando no quanto seria legal sentar ali no fim do dia com um copo na mão observando o mundo. Tentou imaginar como seria ter a vida de Jennifer: um trabalho glamoroso, uma bela casa, dinheiro no banco. Era como ser uma princesa em um conto de fadas. Ela suspirou novamente e voltou para dentro.

Talvez um dia.

Depois de recolocar as plantas no lugar, Stacy saiu para apanhar a correspondência. Quando voltou, encontrou outro arranjo de flores e um ursinho na soleira da porta de Jennifer. Sem nome, sem cartão, nada. Ela olhou ao redor, perguntando-se onde a pessoa que os deixara teria ido. Devia ser um engano, pensou.

Ninguém que conhecesse Jennifer deixaria outro buquê e muito menos um ursinho enquanto ela estivesse fora da cidade. Stacy ficou envergonhada. E se o outro buquê tivesse sido entregue no endereço errado? Talvez ela não devesse tê-lo levado para dentro sem checar antes com os vizinhos.

Enquanto ela estava parada na porta, tentando decidir o que fazer, a porta ao lado se abriu e apareceu uma senhora de casaco e chinelo.

— Pensei ter ouvido alguém aqui fora – ela disse. – Está procurando a Srta. Westbrook?

Stacy sacudiu a cabeça.

— Estou cuidando da casa dela enquanto ela está viajando.

A mulher apontou para as coisas na porta da casa de Jennifer.

— Isso é seu? – ela perguntou.

— Não, eu saí para pegar a correspondência e quando voltei alguém tinha deixado aqui.

— Havia outro buquê de flores agora pouco. Alguém deve ter pegado.

— Não, esse fui eu – disse Stacy. – Eu encontrei ao entrar agora há pouco. As flores não tinham nenhum cartão, então imaginei que fossem para Jennifer, mas agora estou em dúvida. Você acha que podem ter entregado no endereço errado?

A mulher fechou a cara pensativa.

— Duvido. Não quando deixam mais de um na mesma porta. Ela está bem?

— Claro. Pelo menos da última vez que soube, estava sim. Por quê?

— Só pareceu esquisito, estranhos passando por aqui para deixar esse monte de coisas. Achei que pudesse ter ocorrido alguma morte na família. – Ela olhou para Stacy. – Se você está cuidando da casa, é melhor recolher as outras coisas também.

– Outras? – Stacy estava com uma sensação estranha, como uma premonição, que fez sua nuca arrepiar. – Você quer dizer que tem mais?

– Venha ver. – A mulher se afastou da porta e fez sinal para que ela entrasse. – Aliás, meu nome é Millie.

– Oi, Millie, eu sou a Stacy.

Do lado de dentro da casa da mulher havia uma série de coisas empilhadas: buquês formais, maços de flores cortadas do jardim de casa, corações, balões e bichos de pelúcia. Enquanto Stacy estava parada observando as coisas que tomavam boa parte da entrada da casa de Millie, a senhora desapareceu em direção à cozinha e voltou com um saco plástico enorme.

– Você pode colocar tudo aqui – disse ela, abrindo a sacola. – Vai ser um alívio me livrar disso. Eu tropeço nessas porcarias toda hora.

Stacy olhou para cima.

– Por que as pessoas estão deixando essas coisas na porta da Jennifer? Quero dizer, qual o motivo?

– Não faço ideia – respondeu Millie, socando um buquê de rosas e mosquitinho na sacola. – Ouvi alguém deixar as primeiras coisas mais ou menos na hora do jantar ontem, e hoje de manhã já havia mais. As pessoas passaram o dia deixando essas coisas aqui, mas, quando eu chegava à porta para perguntar o que estava acontecendo, elas já tinham ido. Assim que percebi que ninguém viria buscar, comecei a guardar, esperando que alguém viesse recolher essas coisas antes que ocupassem minha casa inteira.

Ela se abaixou e pegou um pequeno cachorro de pelúcia da pilha.

— Olha, este tem uma etiqueta.

Millie levou a mão ao bolso e pegou seus óculos de leitura.

— Vamos ver... aqui diz Boomer. — Ela olhou para cima. — Isso significa alguma coisa para você?

— Sim — respondeu Stacy. — Boomer é o cachorro da Jennifer.

Ela sentiu um aperto apreensivo. Será que o Boomer tinha morrido?

— Parece estranho — disse Millie, devolvendo o brinquedo. — Por que alguém deixaria essas coisas para um cachorro?

— Não tenho certeza — disse Stacy olhando para a etiqueta. — Mas vou descobrir.

As mãos de Stacy tremiam quando ela se sentou diante do computador. Ela estava uma pilha de nervos no caminho de casa, apertando as mãos e tentando não entrar em pânico conforme o trem se dirigia para o sul. Quando chegou à sua parada, apressou-se para casa, ignorando o aperto em seu estômago, e correu para a mesa em seu quarto. Tinha uma noção do que estava acontecendo, e não era bom.

Cerrando os olhos, Stacy rezou para que o que quer que estivesse acontecendo não fosse relacionado a *O último desejo de Boomer*. Depois da discussão que tivera no dia anterior, ela e Jason não tinham se visto muito, mas ele fora gentil o suficiente pela manhã em sua mesa, e ela decidiu não mencionar a ameaça ao Sr. Compton. Com a loucura do dia no escritório, era mais fácil se convencer de que não fora nada grave. Stacy digitou o endereço do site e prendeu a respiração.

Lágrimas de vergonha e humilhação surgiram em seus olhos quando o site *O último desejo de Boomer* apareceu na tela. Dessa vez, o time de mídia social da Compton/Sellwood tinha ultrapassado todos os limites. Jason não só não tinha simplesmente desistido, pensou ela; ele elevara muito o patamar.

Eles haviam dado início a uma competição chamada "Por onde anda Boomer?", oferecendo um prêmio pela melhor foto enviada ao site todos os dias. Os seguidores eram encorajados a viajar pela Rota 66 à procura de Jennifer e Boomer para tirarem fotos e submeterem ao concurso em duas categorias: fotos e vídeos. Os participantes podiam participar quantas vezes quisessem, e a única restrição era que nem Jennifer nem Boomer poderiam ser avisados. Violar a regra significaria o cancelamento imediato da competição, e, com os prêmios de iPads, televisões e relógios Apple, havia boas chances de que o concurso durasse enquanto Boomer vivesse.

Mas a pior parte, pelo que Stacy vira, era que o site agora estava coberto de anúncios da Compton/Sellwood, e a divulgação da agência era tão intrusiva que ultrapassava os limites do bom gosto. Se Jason estava se aproveitando um pouco da tragédia de Jennifer antes, agora estava tirando enorme vantagem.

Stacy levou a mão à boca e soluçou conforme lágrimas quentes escorriam por seu rosto. Jennifer nunca a perdoaria por isso. Qualquer bom sentimento que houvesse entre elas seria destruído assim que ela visse o que acontecera com suas fotos. Stacy estava de coração partido. Era tudo sua culpa, tudo mesmo. Ela não queria ferir ninguém, só fazer uma coisa legal, e deu tudo errado. Correu para o banheiro e se debruçou na pia, então sentou-se no chão, cobrindo a face.

— Meu Deus — ela sussurrou. — O que foi que eu fiz?

CAPÍTULO 17

Outra remessa de entradas de "Por onde anda o Boomer?" havia acabado de chegar, e Jason Grant estava radiante. O concurso estava superando suas expectativas mais otimistas e ilustrava perfeitamente o poder das mídias sociais de envolver as pessoas e gerar burburinho enquanto promovia o produto de um cliente. Ele apanhou o telefone e escreveu um tuíte para seus seguidores, alertando-os de que Jennifer e Boomer se aproximavam da região de Tulsa e prometendo um prêmio bônus para o primeiro que enviasse um vídeo engraçado para o site.

Ao publicar o tuíte, Jason sorriu. Depois que algo assim pegava fogo, a conversão do sucesso em dinheiro era garantida. Ele deveria agradecer a Stacy por ser tão relutante em lhe dar as fotos de Jennifer. Se ela simplesmente tivesse entregado tudo, ele nunca teria pensado em algo do tipo. Mal podia esperar para contar ao chefe.

Seu telefone tocou: Derek Compton queria vê-lo.
Falando no diabo.

Stacy estava sentada no escritório de Derek Compton, segurando um lenço molhado em sua mão enquanto aguardava a chegada de Jason. Ao chegar ao trabalho naquela manhã, fora direto para a sala do diretor e abrira seu coração em lágrimas. A atualização de Jason em *O último desejo de Boomer* era um desastre, ela avisou. A competição não apenas estimulava as pessoas a seguirem Jennifer e Boomer por aí e fotografá-los, como a história do diagnóstico de Boomer fizera com que as pessoas descobrissem o endereço de Jennifer para deixar cartões e presentes na porta da casa. Stacy recolhera tudo na noite anterior, mas quando passou pela manhã encontrou mais uma dúzia na soleira da porta. Se Jason não tirasse aquele site do ar imediatamente, um dos vizinhos iria reclamar.

Compton a ouvira com paciência, e ela informou os detalhes, sacudindo a cabeça e sorrindo amargamente, para indicar como se sentia com a situação. Quando Stacy terminou seu relato, ficou claro que ele estava tão incomodado com a traição de Jason quanto ela. Era como se um peso tivesse sido retirado de seus ombros. Graças a Deus que seu chefe havia entendido sua preocupação. Quanto antes o site fosse desativado, melhor.

— Sente-se — disse Compton, apontando para a cadeira de visitante. — Precisamos conversar.

— É claro — disse Jason, transpirando sinceridade em sua voz. — O que está acontecendo?

— Stacy me contou que você fez algumas mudanças em *O último desejo de Boomer*, quer me falar sobre isso?

— Adoraria. Na verdade, eu estava a caminho quando você ligou. Já viu?

Stacy assoou o nariz e olhou feio para ele. O cara tinha destruído sua vida e agia como se fosse algo do que se orgulhar. Ela esperava que Compton o demitisse.

– Não, ainda não tive a oportunidade. Stacy acabou de me contar. – Ele digitou o endereço e virou a tela. – Por que não damos uma olhada para Stacy indicar o que a preocupa nisso tudo?

– Ótimo – disse Jason contente. – Não sei qual o problema dela, mas você vai ficar impressionado.

Quando Jason aproximou sua cadeira da mesa, Stacy se virou e olhou para o chefe. Ela já havia dito para Compton qual era o problema. Ele deveria estar ordenando a Jason o fechamento imediato do site, e não dando uma chance para o cara convencê-lo. Ela olhou para o computador e respirou fundo. *O último desejo de Boomer* estava cheio de imagens novas: Boomer ao lado de uma baleia, e outra com ele descendo um escorregador na lateral da mesma baleia. Havia um monte de fotos dele tomando sorvete, e duas de Jennifer com um homem que ela não conhecia levando Boomer para passear. Apesar de tudo, ela estava muito curiosa.

– Quem é esse cara? – ela perguntou.

– Não faço ideia – Jason respondeu. – Mas ele aparece em um monte de fotos. Ou eles viajaram juntos, ou ela o encontrou pelo caminho.

Ele se voltou para a tela do computador.

– Vai saber? – disse, displicente. – Talvez eu estivesse enganado sobre ela.

Compton ainda estava olhando as fotos.

– Essas são boas. Um pouco amadoras, talvez, mas passam autenticidade ao conjunto.

– Exatamente o que pensei – concordou Jason. – Eu pedi para a equipe limpar um pouco as fotos: corrigir a cor, alinhar o balanço, mas nada em excesso. Queremos manter a seriedade e sensibilidade do assunto.

Stacy cerrou os lábios.

— Como você pode dizer isso? Você cobriu a página de propaganda. O que tem de sério e sensível nisso?

Jason a encarou.

— A Stacy tem razão – disse Compton. – Quando Jennifer começou essa viagem, ela não estava pensando em seu valor publicitário, e o diagnóstico de Boomer é sério. Se algo que for postado fizer parecer que a Compton/Sellwood está explorando uma tragédia, tudo isso pode explodir na nossa cara.

Stacy fechou o rosto, já sem certeza de que o chefe estava do seu lado.

— Como está a divulgação fora da internet? – ele perguntou.

Jason parou um momento para pensar.

— Enviei um e-mail em massa para nossos clientes – Compton pareceu incomodado –, mas tomei cuidado para parecer simplesmente um informativo da situação de Jennifer.

— Bom, muito inteligente. Um lembrete para que não pensem apenas no inconveniente da ausência dela.

— Eu também tenho postado tuítes para nossos seguidores, informando a localização de Jennifer e Boomer.

Compton seguiu mexendo na página.

— E isso foi relacionado ao concurso, certo?

Jason pareceu preocupado.

— Sim.

— Foi uma ação inspirada – ele disse, por fim. – Eu gostei.

Agora ciente de estar em terra firme, Jason começou a desenvolver o assunto.

— Dobramos o número de curtidas na página desde ontem à noite e os números seguem crescendo. Cinco dos vídeos viralizaram, e o pessoal do YouTube foi à loucura, colocou música e animação. Antes de você ligar, eu estava assistindo a um em japonês.

Compton olhou para Stacy.

— Você ouviu essa? O Boomer está famoso no Japão.

Stacy se agarrou ao braço da cadeira. Se ele pensava que ela ficaria impressionada porque alguém em algum lugar dublou um vídeo de Boomer, estava completamente enganado. Por que ela se importaria? E, pensando bem, por que ele se importava? Dez minutos atrás, Derek Compton estava tão ultrajado quanto ela. Agora tentava convencê-la de que o que Jason fizera fora a melhor coisa que poderia ter acontecido. Bem, ela não acreditava nisso. Nada nem ninguém a faria mudar de ideia. Ela queria aquele site fora do ar, e queria agora.

É claro, ela tinha todo o direito de ficar brava, pensou, mas expressar essa raiva para o homem que pagava seu salário era diferente. Quando chegara à sala sozinha com o chefe, tinha todas as objeções na ponta da língua. Agora ela precisava convencê-los, e sabia que Jason não teria simpatia alguma por sua causa. Pelo contrário: se ele perdesse essa briga, isso deixaria tanto ele como a equipe de mídia em maus lençóis. Será que ela estava disposta a fazer isso, mesmo com alguém de quem não gostava? Ela engoliu em seco. O chefe a olhava com expectativa.

— Bem, não está tão ruim quanto pensei — disse, envergonhada da hesitação em sua voz. — Mas tenho medo da reação de Jennifer quando descobrir.

— Ela não vai descobrir — resmungou Jason. — E, se ela descobrir, o que é que tem?

— Tem que ela vai ficar furiosa e ferida — disse Stacy com o rosto quente. — Você está explorando a situação para conseguir mais clientes para a agência.

— Por favor. A Jennifer é bem grandinha. Você acha que ela não faria o mesmo no meu lugar?

Stacy sentiu como se tivesse levado um tapa.

– A Jennifer não é assim.

– Claro que é – retrucou ele. – Como você acha que ela chegou onde está hoje? Por Deus, Stacy, cresça.

– Já chega – interrompeu Compton. – Não vamos transformar isso em algo pessoal.

Jason se endireitou, visivelmente se controlando, e Stacy sorriu. Ela podia não ter ganhado a discussão, mas saber que o afetara lhe dava alguma satisfação.

– O que você e a sua equipe fizeram foi impressionante – prosseguiu o chefe. – Mas não resolve o problema da Stacy.

Ela se agitou. Por que isso agora era o problema *dela*?

– Espero que haja uma forma de mantermos o site no ar e ainda deixá-la feliz – disse Compton para Stacy com um ar indulgente. – Talvez você possa apontar as coisas que considerar questionáveis e Jason pode tentar resolver. Isso ajudaria?

– Bem, sim – ela respondeu. – Acho que sim.

– Aqui – ele disse, sinalizando para que ela aproximasse a cadeira. – Vamos olhar mais de perto.

Quando Compton rolou para o alto da página, Stacy tinha que admitir que *O último desejo de Boomer* era um grande site, fácil de navegar e interessante. Mais uma vez ela foi lembrada do quanto seus esforços foram em vão para que os homens percebessem o problema como ela. Ao segurar o mouse, sentiu como se uma pedra tivesse aterrissado em seu estômago. Ela encarou a tela.

Três novas fotos haviam sido adicionadas desde que ela chegara naquela manhã.

– De onde vieram essas?

Jason se aproximou para ver.

— Minha equipe deve ter postado agora. Analisamos todas as postagens antes de divulgar. Essas parecem ter sido tiradas ontem.

— Como você sabe?

Ele apontou.

— A Baleia Azul. Fica em Catoosa. Eles devem estar em Tulsa agora.

Compton acenou com a cabeça.

— Imagino que os seus seguidores tenham te alertado.

Jason riu.

— É como ter uma rede de espiões.

Stacy rangeu os dentes.

— Certo, e você os soltou à caça de Jennifer e Boomer.

— E de quem é a culpa? Se você tivesse me dado as fotos como eu pedi, não precisaria fazer isso. Você me disse para conseguir mais fotos sozinho.

Ela olhou para Compton à procura de suporte, mas o encontrou admirado.

— Isso é verdade? — ele perguntou.

— Acho que sim. Não tenho certeza.

Stacy se esforçou para se lembrar o que exatamente dissera a Jason. O que quer que fosse, no entanto, tinha sido no calor do momento. Isso não contava, não é?

— Bem, se você falou isso mesmo, temo que as coisas mudem de figura. Não pode sair por aí chorando se o Jason simplesmente fez o que você mandou.

Ela se deixou cair na cadeira, derrotada. Nunca deveria ter reclamado, pensou consigo. Nada iria mudar.

— Mas ela vai descobrir — disse Stacy fracamente. — E vai ficar brava comigo.

Compton lançou a Jason um olhar cortante.

— Como você tem certeza de que podemos manter a Jennifer sem saber de nada disso?

Jason pareceu abatido.

— É difícil dizer. As regras do concurso dizem que eles não podem ser avisados, mas isso depende do quão discreto nosso público será.

Stacy resmungou.

— Não conte com isso.

— Talvez não — disse o chefe. — Mas ainda não aconteceu. Sugiro que esperemos para ver o desenrolar das coisas. Se tivermos sorte e ninguém a alertar, ótimo. Do contrário, digo para Jennifer que foi decisão minha. Dessa forma o Jason e a equipe podem manter as mudanças e a Stacy se livra do problema.

Ela concordou, sentindo-se um pouco melhor, mas ainda culpada. Jogar a responsabilidade em Compton não era realmente justo, mas aliviaria pelo menos um pouco sua consciência.

— Então está resolvido — ele disse. — Jason, quero que você e sua equipe garantam que todos saibam as regras do jogo. Acredite, não estou mais disposto que a Stacy a ficar mal com a Jennifer.

— Considere feito.

— E, Stacy, vamos manter os canais de comunicação abertos. Se você ainda se sentir desconfortável com isso em alguns dias, me avise e veremos o que pode ser feito.

Jason se levantou e saiu da sala sem olhar para trás, mas Stacy ficou no lugar. Ainda havia um problema a incomodando.

— E as coisas que estão deixando na porta da Jennifer? — ela perguntou. — Mesmo se eu for lá todos os dias, ainda vão se acumular.

Compton a olhou pensativo.

— Vamos fazer assim: por que você não passa lá antes do trabalho e entra, digamos, uma hora mais tarde? Ou, se você preferir, pode acrescentar essa hora no seu horário de almoço e ir buscar o que estiver por lá?

Ela sorriu. A ideia de passar mais tempo no apartamento de Jennifer era empolgante.

— Você tem certeza?

— Claro. E pode ir embora um pouco mais cedo no fim do dia também, aí você passa por lá no caminho de casa. Vou arrumar uma substituta temporária para te cobrir até ela voltar.

Stacy arregalou os olhos. Com o tempo livre que ele estava oferecendo, ela podia ficar na varanda e tomar aquele vinho com que sonhava, e uma xícara de café pela manhã também! Seria quase como morar lá.

— Muito obrigada — disse ela. — Gosto da ideia.

CAPÍTULO 18

– Tudo bem, você venceu – disse Nathan. – É difícil *mesmo* encontrar lugares que aceitem cães.

Eles estavam parados no estacionamento do lado de fora da Feira Estadual de Tulsa, com as costas viradas para o vento, tentando decidir o que fazer. Na estrada principal, a fila de carros à espera de uma vaga de estacionamento já segurava o trânsito por quase um quilômetro, e a multidão de frequentadores ansiosos da feira se dirigindo para o portão principal passava pelo trio como uma enxurrada. Se eles não iriam conseguir entrar, pensou Jennifer, era melhor voltar para a picape e partir.

– Não fique assim. Eu sabia que eles não iriam deixar a gente entrar.

Nathan sacudiu a cabeça, relutante em admitir a derrota.

– Tem que haver algum lugar. Não vou desistir.

Depois de prometer para Jennifer que a salvaria dos passeios entediantes que ela fazia com Boomer, Nathan descobriu que a maioria dos lugares divertidos não permitia a entrada de cães. Era sempre bom saber que havia coisas memoráveis e empolgantes ao longo da Rota 66, mas, se ela não pudesse levar seu cachorro, pensou, qual era o sentido? A vontade de dizer "eu avisei" era quase irresistível.

Jennifer olhou para Boomer e sorriu. Ele estava encostado na perna de Nathan outra vez, ofegando alegremente enquanto olhava de um para outro, aparentemente inabalado pelo problema. Enquanto os dois estavam se esforçando para encontrar coisas que ele apreciaria fazer, ele parecia perfeitamente feliz em simplesmente estar ali.

– Não precisamos fazer tanto assim – ela disse. – Não se preocupe com isso.

– Não, não – Nathan sacudiu a cabeça. – Eu prometi que encontraria alguma coisa e vou conseguir. Você vai ver.

Um jovem casal e seu filho passaram caminhando, e o menino parou ao avistar Boomer. Após consultar brevemente a mãe, ele se aproximou.

– O seu cachorro é amigável?

Jennifer acenou com a cabeça.

– Muito amigável. Você quer fazer carinho nele?

O menino olhou ansiosamente para os pais, que acenaram concordando.

– Sim, senhora.

– Tudo bem. – Ela se inclinou e fez menção para o garoto se aproximar. – Ele gosta de carinho nas costas. Ponha sua mão aqui, na nuca dele... Isso, assim mesmo. Agora acaricie o pelo.

A criança sorriu quando a mão passou sobre a pelagem sedosa.

– Ele é muito macio – disse o menino com a voz baixa.

Jennifer concordou orgulhosa.

– É mesmo.

O garoto olhou para trás e concordou.

– Qual o seu nome?

– Boomer.

Seus olhos se iluminaram e ele olhou para os pais.

– É o Boomer!

Jennifer riu. Boomer podia não ser um nome comum para um cachorro, mas nunca tinha causado uma reação como essa. Ela olhou e viu o pai do menino guardando o celular. Ele e a esposa trocaram um breve olhar ansioso, então o homem deu um passo à frente e pegou a mão do filho.

– Vamos, Zach. Hora de ir para casa.

Enquanto ele puxava o filho, o menino seguiu maravilhado com o nome do cachorro. Jennifer se ergueu e olhou para Nathan.

– Isso foi estranho.

Eles começaram a rumar de volta para a picape. Nathan olhava em frente, com a testa enrugada de concentração. Jennifer podia notar que ele estava desapontado. Fazia muita questão de encontrar algo divertido para Boomer, e agora tinham voltado à estaca zero. Ela deu um tapinha em seu ombro.

– Ei, não se preocupe com isso. Ainda estamos na metade do caminho até a costa. Vamos encontrar alguma coisa cedo ou tarde.

Ele concordou relutante.

– Olha, eu sei como você se sente – ela disse. – Mas está tudo bem. Pode até ser bom que não tenha tanta coisa empolgante para fazer mesmo. O veterinário disse que o Boomer precisa descansar.

Nathan fez uma careta.

– Você só quer que eu admita que você estava certa.

– É claro.

O som dos passos se aproximando chamou sua atenção. Jennifer se virou e avistou uma mulher enorme se apressando na direção deles, e suas botas levantavam uma nuvem de poeira. Ela usava uma camisa xadrez em vermelho, branco e azul, que cobria apertado seu peito enorme, e precisava segurar o chapéu de cowboy para que não voasse. A fita esvoaçante em seu peito dizia: Oficial da Feira.

– Esperem! – a mulher gritou. – Não vão embora.

Jennifer e Nathan trocaram um olhar. O que estava acontecendo?

A mulher veio apressada na direção deles e pôs as mãos sobre os joelhos, sinalizando que eles aguardassem um momento enquanto ela recuperava o fôlego. Quando ela se endireitou alguns segundos depois, estava exultante.

–Vocês estão aqui para a apresentação de cães – disse ofegante. – Eu sou a Darlene. O portão é logo ali.

Jennifer estava balançando a cabeça, pronta para corrigir o engano da mulher, quando Nathan a interrompeu:

– Obrigado. Estávamos em dúvida mesmo sobre por onde entrar.

Darlene se virou e seguiu em direção ao portão, fazendo menção para que a seguissem. Jennifer segurou o braço de Nathan e o manteve no lugar, balançando ainda mais a cabeça.

– Isso é um engano – ela sibilou. – Se entrarmos lá, vamos ser expulsos.

– Por que você está sempre tão preocupada em ser expulsa? Ela nos convidou, não foi?

Boomer deu um puxão em sua coleira, apressando Jennifer, e ela se viu vencida: dois contra um. Nathan tinha razão, pensou. Darlene os convidara. Ainda assim, isso não seria muito reconfortante quando os seguranças aparecessem.

– Tudo bem – ela disse enfim. – Mas lembre-se, eu avisei.

A área da apresentação de cães estava como uma colmeia em atividade. Atrás do palco, os participantes do dia estavam sobre as mesas, atendidos por várias mãos enquanto seus donos os aprontavam para o palco. Havia o barulho de secadores de cabelo, tesouras e máquinas de tosa operando milagres nas pelagens. Atrás das mesas, duas fileiras de gaiolas continham os cães que esperavam sua vez. Um beagle tristonho uivava em reclamação, mas os demais dormiam ou esperavam em silêncio. Ninguém disse nada, mas ela não pôde evitar a sensação de que estavam sendo observados.

Enquanto isso, Darlene estava frenética: dava instruções, admirava os cachorros, cumprimentava os proprietários e os levava para a área de apresentação. O estômago de Jennifer se contorcia, e ela podia sentir suas axilas umedecendo. Era como estar em um daqueles sonhos em que você esquece de colocar as calças. Quanto tempo aquilo iria durar antes que alguém percebesse e os denunciasse?

No final do corredor havia um par de cortinas que separava a área de trás do palco da arena. O aviso acima dizia: "Apenas cães da apresentação". Darlene abriu as cortinas e passou, pedindo que a acompanhassem. Jennifer parou e olhou para Nathan.

— Por que ela quer que a gente entre aí? Está escrito que é só para os cães da apresentação.

— Não faço ideia — ele respondeu. — Talvez ela tenha lugares especiais para nós.

— Ou talvez seja para nos humilhar publicamente quando descobrir que não somos quem ela pensa.

— Quer parar com isso? — ele disse, empurrando-a adiante. — A ideia não foi nossa. Vamos ver o que acontece.

Ela sacudiu a cabeça.

— Vamos lá — insistiu Nathan. — Faça pelo Boomer. Veja o quão empolgado ele está.

Jennifer esboçou um sorriso. Ela tinha que admitir: Boomer parecia estar se divertindo. Se o objetivo da viagem era fazer coisas de que ele gostava, talvez ela devesse simplesmente entrar no jogo e esquecer essa história de passar vergonha. Nathan estava certo; não fora ideia deles. Se alguém ficaria em apuros, seria Darlene.

Jennifer respirou fundo, soltou um pouco a guia e permitiu que Boomer a guiasse para o outro lado das cortinas. Quando ficaram sob a luz dos holofotes, Jennifer viu que Darlene a esperava ao lado da mesa dos juízes. Um homem se aproximou deles pela esquerda e tocou o cotovelo de Nathan.

– Você pode vir por aqui, senhor. Temos um assento na primeira fila.

Jennifer fez menção de protestar.

– Espere um pouco. Ele não vem com a gente?

– Tudo bem – disse Nathan. – Vá.

Fez sinal de positivo para ela e acompanhou o homem até seu lugar.

Quando Jennifer e Boomer se aproximaram da mesa dos juízes, Darlene apanhou uma identificação com ar oficial e prendeu na camisa de Jennifer, e em seguida pegou uma roseta de juiz e prendeu na coleira de Boomer. Os ombros do cão estremeceram sob a fita vermelha, branca e azul, e Jennifer se abaixou para arrumá-la de modo que não o incomodasse.

– Vocês vão ser juízes auxiliares hoje – disse Darlene. – Em caso de empate, o voto decisivo será seu.

Jennifer sentou-se diante da mesa e sorriu corajosamente para os outros juízes. Ela não fazia ideia do que deveria avaliar em uma apresentação de cães e sentiu-se aliviada ao ver a prancheta na sua frente. Nela havia diversas páginas com o nome dos cães e os critérios a serem avaliados pelos juízes, bem como um espaço ao lado de cada um para sua nota. Ela soltou a caneta da prancheta, sentindo-se como uma impostora, e se consolou com o fato de não serem os únicos juízes da competição.

O primeiro cachorro entrou no palco. Jennifer olhou para trás à procura de Nathan, mas com as luzes reduzidas e a iluminação focada no palco era impossível identificar rostos na multidão. Era culpa dele estarem metidos nessa bagunça, ela pensou. Ele é quem deveria estar ali de juiz.

Ainda que Jennifer estivesse tão deslocada, Boomer parecia estar se divertindo. Sentado ao seu lado enquanto assistia o cachorro no palco se apresentar, ele parecia um cão de caça esperando um pássaro cair. Ele podia não entender o que estava acontecendo, mas sabia que era importante, e estava prestando total atenção. O juiz principal, um homem magro com um blazer azul-marinho, aproximou-se e lançou a ela um sorriso condescendente.

— Essa é a rodada de amadores. Cães domésticos, competidores de baixa qualidade – ele bufou. – Os prêmios são insignificantes, mas fazer o quê? A competição de verdade é à noite.

Jennifer sentiu a boca estremecer. Como ele era arrogante. As pessoas atrás do palco estavam trabalhando duro e, se Boomer podia levar aquilo a sério, ela também conseguiria. Ela apanhou sua caneta, a abriu com firmeza, e começou a preencher a folha.

Havia três categorias sendo julgadas naquele dia: Esportivo, Não Esportivo e Prêmio de Mérito. A decisão dos juízes nas duas primeiras foi unânime, e Jennifer se alegrou ao perceber que a maior parte de suas pontuações conferia com a deles. Boomer também parecia concordar com os favoritos e, conforme os vencedores eram anunciados, ele abanava a cauda em aprovação.

Quando chegou a hora de anunciar o Prêmio de Mérito, no entanto, os juízes estavam em desacordo, e as fichas apontavam um empate entre três competidores. Todos os olhos se voltaram para ela, e Jennifer encarou sua prancheta e se contorceu. Ela também tinha dado as mesmas notas para os três cães. Como iria decidir?

Darlene se aproximou e perguntou aos juízes sobre sua decisão. Quando os quatro sacudiram a cabeça, ela se dirigiu a Jennifer.

– Certo, hora do desempate – ela disse. – Qual o seu veredito?

Jennifer mostrou para ela sua folha.

– Eu não sei – ela respondeu. – Dei a mesma nota que eles.

A mulher acenou com a cabeça.

– Bem – ela prosseguiu. – Nesse caso, acho que a decisão é do Boomer.

Antes que Jennifer pudesse impedi-la, Darlene soltou a guia dele do pé da mesa e o levou para o meio do palco. A plateia explodiu em aplausos quando ele parou sob os holofotes.

– Senhoras e senhores – reverberou a voz de Darlene pela arena. – Temos um empate entre três competidores no Prêmio de Mérito, e, como vocês sabem, as regras dizem que em caso de empate um juiz substituto é o responsável pela decisão final. Pedi ao Boomer que fizesse o desempate.

A plateia vibrou com um coro de aprovação, e Boomer foi levado para perto dos competidores. Jennifer estava em choque, com o sorriso congelado no rosto. Isso não podia estar acontecendo. Quem em sã consciência faria um cachorro ser juiz em uma competição de cães? Apesar disso, lá estava Boomer, trotando pelo palco como se tivesse julgado essa competição a vida inteira. Ainda que estivesse nervosa, Jennifer não pôde evitar de se sentir orgulhosa.

Os três finalistas e seus proprietários se aprumaram com a aproximação de Boomer. Ele e Darlene pararam brevemente diante de cada um deles, então deram a volta e repetiram a inspeção antes de voltar ao ponto de partida. A expectativa crescia na plateia, e Boomer observava com atenção cada um dos cães dos pés à cabeça.

– Leve o tempo que precisar – disse Darlene, com uma piscadela para a plateia. – É uma decisão importante.

Boomer deu um passo adiante e puxou Darlene consigo.

– Opa – ela disse, sorrindo. – Parece que ele vai dar outra... Ei garoto. Aonde você vai?

Quando Boomer se encaminhou para trás dos competidores, o juiz principal engasgou e Jennifer camuflou um riso envergonhado. Era um ritual de cumprimento, a versão canina da troca de cartões de visita, mas naquelas circunstâncias parecia altamente inapropriado. Quando Boomer se aproximou da traseira do primeiro cão, a plateia percebeu o que estava acontecendo e a expectativa se transformou em gargalhada. Darlene também percebeu o que se passava e fingiu estar com vergonha, mesmo com sua risada ecoando por todo o sistema de som.

Boomer, no entanto, estava levando sua "inspeção" bastante a sério. Após cheirar o traseiro de cada um dos competidores, ele guiou Darlene até a frente de um deles e sentou-se diante do vencedor. A plateia estremeceu em comemoração e as luzes das câmeras pareciam fogos de artifício. O juiz principal a encarava e Jennifer desviou o olhar, afundando em sua cadeira, na esperança de ficar invisível.

Veja pelo lado positivo, pensou. *Pelo menos ninguém sabe quem eu sou.*

CAPÍTULO 19

Encontraram um restaurante mexicano aquela noite com uma área de varanda, onde Boomer pôde cochilar aos seus pés enquanto jantavam. Jennifer bebericava uma margarita enquanto Nathan relatava a competição do seu ponto de vista, fazendo o que ela entendera como um pequeno desastre parecer algo quase intencionalmente cômico. Ela era grata a ele por ajudá-la a encontrar humor naquela situação, especialmente porque Boomer se divertira bastante. Quando a comida chegou, a dor da humilhação se transformara em um incômodo menor.

– Ele foi fantástico – disse Nathan. – Você viu quando ele cumprimentou os competidores? Se a Darlene fosse esperta, teria convidado Boomer para voltar e julgar a competição do ano que vem também.

– Exceto que o Boomer não vai estar aqui ano que vem.

A expressão em seu rosto desmoronou.

– Sinto muito. Eu não quis…

– Tudo bem – ela disse. – Quando ele tem um dia bom como esse, é difícil lembrar o quão doente ele está.

– Você já se perguntou se o veterinário não cometeu um engano? O Boomer parece muito saudável para mim.

Ela sacudiu a cabeça, sentindo as lágrimas quentes formando-se em seus olhos.

— Eu acho que sabia que tinha algo de errado mesmo antes do dr. Samuels fazer os exames. Quando a gente ia ao parque, o Boomer não queria correr com os outros cães, mas eu achava que isso não era relevante. Ele fica na creche quando eu estou no trabalho, e parecia contente em ficar dentro de casa, então achei que ele andava só cansado de brincar o dia inteiro. Pensando bem, era óbvio, eu que não queria ver.

Ela apanhou um lenço e secou os olhos. Era difícil admitir até mesmo para si o quanto fora egoísta. Ser questionada por Nathan sobre isso só a deixava pior. Ele devia achar que ela era uma pessoa horrível por ignorar Boomer em favor do seu trabalho, deixando que ele definhasse enquanto ela brincava de super-heroína na Compton/Sellwood. Se ela pudesse voltar atrás, faria cada segundo valer a pena, mas era tarde demais agora. Ela pôs o lenço de lado e pegou o garfo.

— Devo parecer um monstro pra você.

— Nem de longe – ele disse. – Ninguém consegue ver o que não quer.

— Acho que você tem razão – disse enquanto pegava um pedaço de alface. – Deve ser um hábito meu.

Enquanto isso, Nathan mastigava, pensativo.

— Foi o que aconteceu com o Vic Ott?

Ela deu de ombros, sem tirar os olhos do prato à sua frente.

— Alguém andou lendo a Wikipédia.

— Bom, algumas pessoas *estão* na internet.

Jennifer soltou o garfo e deu a ele um olhar franco.

— Vamos lá, senhor repórter, o que você deseja saber? Se eu o amava? Sim. Se ele me bateu? Inúmeras vezes. Se eu me culpo? É claro, todo mundo se culpa. Mas isso não tem relação nenhuma com como eu me sinto com a perda do Boomer.

— Sério? Porque parece muito com as coisas que você falou. Você não queria pensar na possibilidade de perder o seu cachorro, então ignorou o problema até que as evidências se acumularam, e você se culpa por não ter feito nada antes.

Ela cerrou os olhos.

— Você é um pé no saco, sabia?

— Ei, a verdade dói, querida.

Subitamente a vontade de chorar a dominou e Jennifer soluçou.

— Olhe, eu sinto muito — disse Nathan, espiando ansiosamente as outras mesas. — Eu não queria... Não chore.

— Não, não, tudo bem — ela disse, pegando mais um lenço. — Acho que eu nunca tinha parado pra pensar nisso antes. Você está certo, eu faço a mesma coisa cada vez que tenho um problema. Finjo que está tudo bem até que fica grave demais e não consigo aguentar. Aí eu fujo, me culpo por ter me envolvido com isso. É a mesma burrice que fez eu permitir que Vic me convencesse a largar os estudos.

— Você está sendo um pouco dura demais consigo mesma. Quero dizer, eu li todo o artigo a seu respeito, e você não teria todo esse sucesso se fugisse cada vez que um cliente tem um problema.

Jennifer fungou e assoou o nariz.

— Mas é essa a questão. Eu consigo resolver os problemas dos outros, não os meus.

— Escute. Não encarar uma verdade inconveniente é perfeitamente normal. Acho que todo mundo faz isso uma vez ou outra.

— Mas eu me sinto tão infeliz com isso, e o Boomer não foi a única coisa que eu ignorei por causa do trabalho. A essa altura ele é o meu único amigo. – Ela riu amargamente e secou os olhos com o lenço. – Desculpe, eu não espero que você entenda.

– Na verdade, eu entendo – ele respondeu, segurando a mão dela. – Mais do que você imagina.

Ela abaixou o lenço e lançou um olhar duro a ele. Se aquilo fosse mais um estratagema de dizer qualquer coisa para conseguir o que quer, ele iria se arrepender.

– Eu sei como é perder um cachorro – ele comentou.

Nathan olhou para Boomer com o canto da boca erguido.

– O nome dele era Dobry, e ele parecia muito com esse carinha aqui.

A tensão no rosto de Jennifer se aliviou. Quando ela perguntara antes pelo nome do cachorro, ele mudou de assunto.

– Quando foi isso?

– Eu tinha oito anos quando ganhei ele, e quase dez quando a minha mãe o devolveu para o abrigo.

– Ah, então ele não morreu.

– E isso importa? Ele era o meu melhor amigo, e nunca mais voltou.

– Você está certo, desculpe. Uma perda é uma perda. Mas o que aconteceu?

– Meu pai era do Exército, então a gente se mudava bastante. Eu sempre fui a criança esquisita que não tinha amigos. Perder Dobry foi como perder uma parte de mim mesmo.

– E por que a sua mãe se livrou dele?

– Divórcio. Não era permitido ter animais na casa nova.

– Coitada da sua mãe. Parece que ela não tinha muita escolha.

– Adultos sempre têm escolha. Ela só não se importava. – Ele tomou um gole da garrafa. – Acho que ainda guardo ressentimentos. Desculpe.

— E você nunca soube o que aconteceu com ele?

Nathan engoliu a bebida e sacudiu a cabeça.

— Mamãe disse que outra família provavelmente o adotou, mas quem saberia? Os abrigos estão sempre lotados, e já era a segunda adoção do Dobry. Não sei se eu já consegui perdoar minha mãe de verdade por isso.

— Bem, acho que eu devo ser grata então. Pelo menos Boomer e eu ainda temos algum tempo juntos.

— Não, não faça isso. Não agora, pelo menos. Se permita sentir raiva, tristeza, o que precisar. Vai ter bastante tempo depois para ser grata.

Jennifer concordou e os dois terminaram a refeição em silêncio. Ela gostou do conselho, e era bom ouvir isso de alguém que já passara por algo parecido. Ela só esperava que, quando tudo terminasse, ela não ficasse tão amarga quanto Nathan.

Quando a conta chegou, Jennifer pagou e os três foram andando de volta para o hotel. Hoje era por conta dela, dissera, como pagamento adiantado pela ajuda dele com a viagem. Afinal, se não fosse por Nathan, ela já teria desistido e voltado para casa havia muito tempo.

Eles estavam a cem quilômetros de Tulsa agora, longe o bastante da cidade para ver a Via Láctea se abrir no céu. Os últimos dias tinham sido quentes para o final de outubro, um fenômeno do qual seu pai lhe falara quando criança. Ela respirou fundo e suspirou.

— Parece um verão indiano.

— A gente chamava isso de "Verão da Vovó" na minha casa – comentou Nathan. – Era uma vizinhança diferente.

— Koslow – ela falou, arqueando a sobrancelha. – Polonês?

— Exato. E Westbrook é... inglês?

– Holandês – ela respondeu. – Mas essa é só uma das partes da família.

O sorriso dele se abriu.

– Americana, então.

– Sim, definitivamente. Eu sou mestiça.

Nathan apontou para Boomer.

– Diferente do nosso amigo aqui.

– Na verdade, não – respondeu Jennifer. – O Boomie não é puro-sangue, a mãe dele era uma labradora amarela. Ele saiu ao pai.

– E você saiu parecida com quem?

Jennifer precisou pensar por um momento sobre isso. Ela nunca tinha parado para refletir sobre com qual dos pais se parecia mais. Se ela pudesse, escolheria "nenhuma das opções".

– A maior parte das pessoas diz que eu pareço com a minha mãe, mas acho que a personalidade é mais do meu pai. Você sabe, séria por fora, brincalhona por dentro. E você?

– A mesma coisa. Aparência da minha mãe, personalidade do pai, infelizmente.

– Por que infelizmente?

Ele fez uma careta.

– Olha, você é uma coisinha muito curiosa, não é?

Ela olhou para as longas pernas com as quais conquistara uma carreira de modelo aos dezesseis anos e riu.

– Curiosa sim, mas *coisinha*?

Ele revirou os olhos.

– Foi só um modo de dizer.

Uma rajada de vento gelado veio subitamente e bagunçou seu cabelo. Jennifer olhou para cima e viu que as nuvens se reuniam no horizonte.

— Parece que o tempo está mudando – disse estremecendo. – Devia ter colocado algo mais quente.

Nathan ofereceu o braço, e sem pensar Jennifer o abraçou contra o peito, sentindo o calor de seu corpo penetrar no casaco de verão. *Se eu não tomar cuidado,* pensou, *vou acabar me apaixonando por esse homem.* Ela passou a guia para Nathan, e Boomer olhou para trás brevemente antes de seguir andando.

Ao se aproximarem do hotel, Jennifer sentiu a tensão aumentar entre os dois. Eles tinham pegado quartos de hotel separados, mas, depois do momento de intimidade no jantar, parecia frio demais simplesmente apertar as mãos na porta e dizer boa noite. Eles eram adultos, afinal. Ela sorriu, considerando as possibilidades.

O cascalho fazia barulho sob seus sapatos enquanto atravessavam o estacionamento. A picape de Jennifer estava estacionada sob a marquise, e o para-brisas refletia distorcidamente a placa de néon que dizia "Temos Vagas". Ela se lembrou do dia que encontrara Nathan no posto de gasolina em Atlanta, do quão empolgada estava com a possibilidade de agradecê-lo pela ajuda no autódromo. Então se lembrou do comentário dele quando viu o seu carro. Você só não faz o tipo.

Jennifer sentia como se estivesse se afastando de um precipício emocional, e a distância entre eles agora se abria como um abismo. O quanto ela realmente sabia sobre Nathan Koslow? Ele parecia legal, e a história sobre a perda de Dobry a tocara, mas isso não era motivo para baixar toda sua guarda e ir para a cama com ele. Ela já tinha cometido esse erro antes com Vic, e só vira o que desejava até cair em um relacionamento desastroso. Sentir pena de alguém não era um bom substituto para amor e respeito mútuo. E, se ela e Nathan tivessem um futuro pela frente, teria que haver mais entre eles do que uma atração superficial.

Ao entrar na portaria, Jennifer apanhou seu cartão de acesso e se dirigiu ao seu quarto. Quando Nathan a seguiu pelo corredor, ela sentiu seu coração bater mais forte. Ela podia ter tomado uma decisão, mas isso não significava que não tivesse dúvidas a respeito. Quando ela deu as costas para abrir a porta para Boomer, quase conseguiu sentir a decepção de Nathan. Cada átomo de seu corpo lhe dizia que aquilo era real, algo pelo qual valia a pena correr o risco. Até mesmo Boomer, que jamais tolerara outro homem na vida dela, parecia estar estimulando aquilo desde o começo. Rangendo os dentes, determinada a manter sua decisão, ela se virou para dar boa noite.

Nathan sorriu, esperando que ela fizesse o primeiro movimento, e Jennifer hesitou. Tudo bem, ela disse para si mesma. Um beijo na bochecha, mas isso é tudo. Algo para demonstrar interesse, mas ainda sem estar pronta para o próximo passo.

Então ela sentiu seus joelhos cederem, e Boomer a empurrou por trás. Jennifer caiu nos braços de Nathan, e seu beijo friamente calculado acabou indo parar direto na boca dele, que reagiu com ardor. Ao se recompor, ela gaguejou desculpas, atravessou apressada a entrada do quarto e bateu a porta. Boomer estava sentado ao lado da cama, abanando o rabo orgulhoso.

– O que foi isso?

Ele abaixou a cabeça, olhando para cima em uma demonstração de arrependimento.

– Eu sei que você gosta dele. Mas precisa deixar que eu faça do meu jeito.

Jennifer jogou os sapatos no armário e marchou para o banheiro. O que Nathan teria pensado? Que ela estava bêbada? Era desastrada demais para ficar em pé dois segundos? Tudo estava sob controle até o Boomer interferir e bagunçar tudo.

Ela escovou os dentes e passou um pente no cabelo antes de vestir o pijama. Boomer ainda estava lá onde o deixara, com a cabeça de lado, parecendo desapontado. Como iria ficar brava com ele depois desse olhar? Ela estendeu a mão e Boomer se aproximou.

– Tudo bem, Boomie. Eu sei que você não fez por mal. – Ela se abaixou e o abraçou. – Quem sabe? Talvez você esteja certo.

CAPÍTULO 20

– Bom dia – cumprimentou Jennifer ao sentar-se à mesa. – Pelo visto você recebeu minha mensagem.

Ela deixara o recado na recepção, pedindo a Nathan que a encontrasse para o café no Denny's, perto da estrada às oito horas. Ele havia chegado antes. Ela estava cinco minutos atrasada.

Nathan olhou para ela com ar de sono.

– Você está terrivelmente alegre esta manhã.

Ele não tinha dormido bem. O beijo na noite anterior tinha sido um choque, tão surpreendente quanto agradável. Na primeira meia hora que ele passou no quarto, ficou à espera dela para continuarem, e a meia hora seguinte passara imaginando se ela esperava que ele fosse atrás dela. Por fim, acabou abrindo o frigobar e tentou esquecer a coisa toda. Jennifer Westbrook não seria a primeira mulher que ele ficaria sem entender.

A garçonete se aproximou e entregou um Bloody Mary na frente dele. Nathan remexeu os cubos de gelo por um segundo e tomou um gole. Jennifer comentou com os lábios cerrados:

– É um pouco cedo para isso, não?

Por que ela se importava? Ele era só o guia de viagem. Podia guiar tão bem bêbado quanto sóbrio.

— Já é cinco da tarde em algum lugar — ele resmungou. — E, além disso, eu tive uma noite ruim.

Ela nem piscou. Era como se estivesse determinada a esquecer o que fizera. Nathan desprezou-a por um momento. Ela estava brincando com ele, como se tentasse puni-lo por apontar o óbvio na noite anterior: que ela, como todo mundo, era capaz de cometer os mesmos erros repetidamente. Mas isso não podia estar certo, podia? Porque Jennifer Westbrook era forte, independente e, ah, tão perfeita. Ele queria se aproximar e bagunçar o cabelo impecável dela.

Ela sacudiu o guardanapo e o abriu sobre o colo.

— Precisamos conversar.

Ok, lá vem.

— Pode falar.

— Eu sei que disse que precisava de ajuda para encontrar coisas legais para o Boomer fazer, mas é importante não o cansarmos muito.

Nathan tomou mais um gole de sua bebida.

— Prossiga.

— Achei que seria melhor alternarmos. Você sabe, um dia você escolhe algo empolgante para fazermos, no próximo eu escolho algo mais calmo.

— Tá, então vai ser um dia divertido e outro chato.

— Não foi isso o que eu disse. Só quero que o Boomer consiga descansar. Relaxar. Só isso.

— Tá bom, certo. Pode ser.

A garçonete retornou com dois ovos fritos e presunto e anotou o pedido de Jennifer.

— Os dias mais lentos vão ser bons para você também — continuou Jennifer. — Vai dar tempo de você fazer entrevistas e pesquisa para os artigos.

O estômago de Nathan se revirou. Já fazia alguns dias desde que ele mandara alguma coisa para Julia. Ele apanhou o molho de tabasco e começou a temperar os ovos.

— De toda forma, eu não quero que você pense que eu sou superprotetora.

Nathan mordeu seus ovos fritos e sua boca começou a queimar. Ele soltou o garfo e pegou um copo d'água.

— Você é superprotetora — ele resmungou.

— Por favor, não transforme isso em algo trivial, é importante.

— Acredite — disse ele. — Estou dando toda a importância que o assunto merece.

Jennifer olhou para baixo e correu as unhas pelo tampo de madeira falsa.

— Sabe, eu nunca tinha percebido o quanto o Boomer precisava de alguém como você por perto, um homem. Ele sempre agia como se não gostasse dos homens que eu conhecia, mas na verdade parece que eu mesma não gostava muito deles também. Talvez ele só não quisesse que eu me apegasse a alguém que não ia ficar por perto.

Nathan cerrou os olhos, tentando focar suas palavras apesar da ressaca.

— Se você está falando isso por causa da noite passada, eu não te perdoei.

Ela revirou os olhos.

— Acredite, eu também não me perdoei. Apesar de, na verdade, a culpa ser do Boomer.

Ele sorriu.

— Isso, certo. Culpe o cachorro.

— A questão, Nate, é que eu estou assustada com um monte de coisas. Preciso superar essa questão do Boomer antes de pensar no que pode acontecer entre nós. Presumindo, é claro, que você esteja interessado.

Nathan estava em choque, agora completamente desperto, com todos os sentidos de prontidão. A mulher mais linda que ele já conhecera tinha dito — bem, quase dito, certamente implicado — que estava se apaixonando por ele. Isso era o mais perto de curar uma ressaca que ele jamais chegaria. Colocou seu drink de lado.

— Olha — ele respondeu. — Eu sei que você está assustada por causa do Boomer e que está tentando protegê-lo, mas, se o objetivo da viagem é que ele aproveite ao máximo, vai ter que dar um jeito de deixar ele se divertir.

— Mas e se isso fizer ele piorar? O veterinário disse que, se ele se cansar demais, pode acabar morrendo.

— Você tem certeza de que foi isso o que ele disse? Quando você me contou antes, disse que ele só deu recomendações para o que fazer caso Boomer ficasse muito cansado. Isso não é a mesma coisa que dizer que ele vai morrer mais rápido se você deixar ele se divertir um pouco.

O café da manhã de Jennifer chegou. Quando a garçonete se afastou, ela pegou o garfo e franziu os lábios, pensativa.

— Eu não sei — disse por fim. — Talvez você esteja certo.

— Por que eu não me surpreendo?

— Então tá, espertinho. Para qual lugar fabulosamente divertido nós vamos hoje?

Nathan parou para pensar. Ele estivera tão ocupado bebendo na noite anterior que não teve chance de preparar o roteiro do dia.

— Err... bem...

Jennifer deu a ele um sorriso convencido.

– Então – disse ela –, acho que será um dia chato mesmo.

– O Celeiro Redondo? Sério? Isso foi o melhor que você conseguiu?

Eles tinham pegado a estrada para Arcadia e agora seguiam em direção ao marco histórico mais distintivo de Oklahoma, um enorme celeiro vermelho circular.

– Do que você está falando? – perguntou Jennifer. – Esse lugar é perfeito. Enquanto Boomer e eu damos uma volta, você pode pegar algumas brochuras, entrevistar um ou dois curadores e tirar algumas fotos.

Nathan fechou os olhos ainda pesados por causa da dor de cabeça.

– Pode me matar agora.

– Ei, não me culpe – ela retrucou ao estacionar o carro. – Você perdeu o direito de reclamar quando ficou bêbado na noite passada e não encontrou mais nada para fazermos.

– Já entendi.

– De toda forma, o celeiro está no Registro Nacional de Lugares Históricos. Você pode encontrar um monte de coisas para escrever sobre o lugar.

Boomer estava sentado no banco traseiro, olhando ao redor e ofegando alegremente. Nathan saiu e prendeu sua guia enquanto Jennifer vestia o casaco.

– O clima quente não durou muito – ela comentou, apanhando a guia de Boomer. – Agora sim está começando a parecer outono de repente.

Nathan coçou o rosto e se contorceu ao ver a enorme estrutura à frente deles. O celeiro era, de fato, muito vermelho e muito circular. Parecia um bolo gigante. Ao contrário do que imaginara anteriormente, o lugar estava lotado. Ele poderia andar um pouco, recolher algumas informações e escrever o artigo. Só não sabia se realmente queria fazer isso.

– Eu não sei – ele comentou. – Não estou sentindo o clima.

Ela lançou um olhar impiedoso.

– E desde quando um escritor profissional precisa "sentir o clima" do assunto?

Nathan não gostava de ser forçado a nada, e essa recém-descoberta atitude mandona dela era particularmente irritante.

– Eu não posso escrever uma boa história se não gostar do assunto.

– Isso é porque você é homem, meu bem. Qualquer mulher vai te dizer que você não precisa *gostar* de alguma coisa para ser *bom* nisso.

Houve um momento de hesitação e Nathan começou a rir. Novamente, Jennifer Westbrook o surpreendia. No instante em que supunha tê-la decifrado, as cartas voltavam a se embaralhar.

– Combinado – ele disse. – Entendi o seu argumento. Vou ver se encontro algo de que eu goste neste lugar.

– Bom. Você pode nos encontrar quando terminar.

Enquanto Jennifer passeava com Boomer, Nathan fez o que ela sugeriu. Caminhou pelo lado de fora para sentir o quão grande era o celeiro, então entrou para dar uma olhada. As vigas de madeira que sustentavam o domo coberto do teto estavam expostas, causando um bom efeito visual, e a acústica do lugar era intrigante. Mesmo com dúzias de pessoas falando ao mesmo tempo, ele ocasionalmente ouvia algumas conversas do lado oposto do celeiro tão claramente como se a pessoa estivesse parada ao seu lado.

Próximo ao celeiro havia um museu/loja de lembranças, onde Nathan encontrou uma sala de mapas e exposições sobre o Celeiro Redondo e o seu lugar na história da Rota 66. Havia até mesmo uma réplica do celeiro que ganhara uma fita azul de prêmio, que o museu guardava sob uma enorme bolha de plástico redonda, uma excelente ideia, a julgar pelas centenas de digitais engorduradas que a cobriam. Nathan comprou alguns cartões-postais de Butch, o guardião do celeiro, um alegre septuagenário que trabalhava na loja de lembranças, e pegou um mapa dos arredores e algumas brochuras antes de voltar para o celeiro para tirar algumas fotos e conversar com o curador.

Jennifer e Boomer estavam parados do lado de fora.

— Como está indo? – ela questionou. – Já sentiu o clima?

— Na verdade, sim, apesar de mim mesmo – respondeu olhando ao redor. – E vocês dois, o que fizeram?

— Ah, muitas coisas legais. Vimos a casa de apoio, só tem uma entrada. É bem legal.

— Meu Deus. Devo ter deixado passar.

Ela apontou.

— Fica logo ali.

— Desculpe, não tenho tempo. O que mais?

— Bem, o Boomer viu um – ela sussurou "esquilo" – e ficou empolgado.

— Aposto que sim.

— E algumas crianças perguntaram sobre o Boomer também, e um cara queria saber se podia tirar uma foto. Parece que o pessoal daqui nunca viu um cachorro. – Ela olhou para o bloco de anotações dele. – Então, já podemos ir?

– Ainda não. O curador disse que vai estar livre em alguns minutos. Eu só estava passando o tempo na loja de lembranças. Não deve demorar.

– Tudo bem. Vamos fazer uma parada e voltar para a picape. Estou ficando com frio.

Nathan se dirigiu para a entrada do celeiro, perguntando-se sobre o homem que pedira para tirar uma foto do Boomer. Provavelmente o que ele queria mesmo era uma foto da Jennifer, pensou. Alguns caras são patéticos.

Phil, o curador, estava à espera dele do lado de dentro. Era um homem grandalhão de chapéu e macacão, que parecia ter acabado de sair de uma plantação de milho.

– Obrigado por me receber – disse Nathan ao apertar a mão do homem.

– Sem problemas – respondeu Phil. – Você quer fazer o tour completo hoje ou só algumas perguntas?

– Acho que só as perguntas. Estou acompanhado – falou Nathan, abrindo o bloco de anotações. – Ela e o cachorro estão esperando do lado de fora, no carro.

– Traga-a para dentro.

– Não, obrigado – respondeu dando de ombros. – O Boomer é um bom cachorro, mas você não vai querer que ele arranhe esse piso.

Phil concordou.

– Você está certo. A maior parte do piso é original da construção do celeiro em 1898. Não se encontra madeira antiga assim hoje em dia. Não tem mais tantas árvores velhas por aí como antes.

– Imagino.

– Se importa se eu perguntar para onde vocês vão quando saírem daqui?

– Como? Ah, bem, não tenho certeza. Estamos dirigindo na Rota 66 até a costa, então para algum lugar a oeste. Por quê? Alguma recomendação?

– Na verdade, eu tenho – disse o homem com um sorriso. – Que tal um bom filé?

Boomer já estava dormindo profundamente quando Nathan voltou para a picape. Jennifer havia reclinado seu assento e estava observando as nuvens se juntarem e separarem pelo céu. Era tão calmo por ali, ela pensou. Sem carros, sem sirenes ou buzinas, sem telefones tocando incessantemente, sem clientes reclamando, reclamando e reclamando.

A porta do passageiro se abriu e Nathan entrou.

– Você foi rápido – ela comentou.

– Falei que não ia demorar.

Ela colocou o banco no lugar e ligou o carro.

– Pegou a informação para escrever o artigo?

– Sim. E mais uma coisa também.

– Sério? O quê?

– Um lugar especial para nós três jantarmos.

CAPÍTULO 21

Nathan assumiu o volante depois do almoço. Sua dor de cabeça havia passado, garantira a Jennifer, e todo o álcool que consumira na noite anterior já saíra de seu corpo. Além disso, era um longo caminho até Amarillo, e ela precisava de um descanso. Boomer roncava suavemente no banco de trás, com a cabeça repousada sobre as patas, e o barulho contínuo do motor era tranquilizante. Ao cruzarem a fronteira do Texas, Jennifer reclinou seu banco e sentiu-se tomada por uma calma zen.

A zona rural ali era diferente das outras pelas quais passaram mais ao leste. As árvores e colinas foram substituídas por uma vasta planície de grama banhada pelo sol que se estendia por muitos quilômetros em qualquer direção. Eles passaram por um prédio que parecia uma pilha de blocos de madeira, por dois silos enferrujados e um moinho solitário que se destacava como um farol naquela terra sem atrativos. A estrada de terra fazia uma curva para a direita, sem nenhuma indicação de para onde poderia levar. Jennifer sentiu-se como quem navega o oceano aberto sem terra à vista.

— O nome do seu cachorro, Dobry, que tipo de nome é esse? Nathan manteve os olhos na estrada.

– É polonês. Significa "bom" ou "gentil".

– Eu gosto.

– A minha *babcia*, mãe do meu pai, queria que meus pais me dessem o nome de Dobry, mas mamãe achou que parecia muito étnico. Hoje em dia os pais procuram nomes exclusivos, mas na época? Nem pensar.

Ela sorriu sonolenta.

– Talvez haja muitos Dobrys por aí hoje em dia.

– Nunca soube de nenhum.

– É, eu também não – disse com os olhos fechados. – Mas é uma boa ideia.

Jennifer acordou sobressaltada. Alguém chamava o seu nome.

– Oi? O que foi?

Ela sentou-se e olhou ao redor, sentindo-se desorientada. Havia uma cidade à frente. Boomer já estava acordado, e Nathan continuava no volante. Ambos olhavam para ela.

– Olá, Bela Adormecida, hora de acordar.

– Onde estamos? – ela disse, esfregando os olhos.

– Entrando em Amarillo. Achei que você iria querer ver a paisagem antes de seguirmos para o hotel.

Jennifer bocejou e esfregou os lábios. Ver a paisagem era legal, pensou, mas alguns minutos a mais de sono não seriam tão ruins assim também.

– O quão longe estamos?

– Cerca de oito quilômetros e vinte e sete sinais de trânsito.

Eles deram entrada na recepção e, enquanto Jennifer e Boomer saíram para caminhar, Nathan foi para o quarto, para trabalhar, dissera a ela, mas esse não era o motivo real. Ele largou a mala no chão e discou o número de Rudy.

— E aí, mano. Como vão as coisas?

— Estariam melhores se eu estivesse com o meu Mustang. Você já está em Chicago?

— Não, na verdade é por isso que eu liguei. Estou em Amarillo, Texas.

— O quê? Por quê?

Nathan se esticou na cama e tirou os sapatos.

— É uma longa história, te conto em detalhes quando chegar aí.

— Mudou de ideia e decidiu sair da *Tribuna*? Ainda preciso de alguém para reescrever aquele roteiro.

— Eu preciso de um favor.

— Eu também precisava, e olha o que ganhei.

— Vamos lá, Rudy, preciso de um dinheiro emprestado.

— Sei.

— Então, eu conheci essa garota...

— Uma prostituta? Por favor, Nate, você devia ter me dito que estava na seca assim. Eu podia te ajeitar com uma das tais atrizes daqui.

— Dá pra calar a boca um segundo? A Jennifer não é prostituta.

— Mas ela quer dinheiro.

— Não, ela tem um monte de dinheiro. Eu é que quero.

— Por que você não pega com ela se ela tem tanto assim?

Nathan sentou.

— Escute, eu não estou pedindo muito. Só o suficiente para pagar algumas noites em hotéis decentes e um jantar ou dois.

— Achei que a sua editora fosse pagar a conta.

— Com as diárias que ela me deu? Eu ia comer pão e dormir embaixo da ponte. Vamos lá, você sabe que eu te devolvo. Só preciso de um troco até o dia do pagamento.

Houve um longo silêncio na linha enquanto Rudy pensava no pedido. Nathan se forçou a continuar respirando. Se Rudy recusasse o empréstimo, suas únicas opções seriam contar para Jennifer sobre sua situação ou pegar um ônibus de volta para casa. Por fim, ele ouviu seu irmão soltar um suspiro dolorido.

– Tá bom, eu posso te dar seiscentos dólares, mas acaba aí. Se isso não te ajudar com ela, você está por conta.

– Obrigado, Rudy. Você é o melhor.

– Não tenho certeza.

Nathan desligou e apanhou o pedaço de papel que Phil, o curador, dera a ele no Celeiro Redondo. Havia um número de telefone atrás com o nome de uma churrascaria onde o homem jurara que o proprietário receberia os três. Tudo que ele precisava fazer era falar que queria o especial UDB quando fizesse a reserva. A Jennifer iria adorar isso, ele pensou quando ligou. Levar Boomer a uma churrascaria era o melhor que podiam conseguir.

– Nem posso acreditar que você vai nos levar *com* o Boomer a uma churrascaria de verdade – disse Jennifer enquanto ele dirigia para o restaurante naquela noite. – Como você conseguiu?

Nathan deu a ela um sorriso maroto.

– Eu tenho os meus meios.

A verdade era que ele estava tão surpreso quanto ela. Quando ele ligou e informou que queria o especial UDB, o que quer que isso fosse, o próprio gerente veio ao telefone para acertar os detalhes.

– Às sete em ponto – disse o homem. – Usem a entrada norte, pela porta com a placa "Sala de Banquete".

Jennifer insistira em usar um vestido, e Nathan encontrou uma lavanderia a seco expressa para seu blazer esportivo, para que os dois combinassem minimamente. Ele se lembrou de que estavam no Texas, afinal, a terra natal da maioria das vencedoras de concursos de beleza, e ninguém ali prestava muita atenção aos homens. Ele chegou ao estacionamento e se dirigiu para a entrada norte.

– Ai meu Deus – disse Jennifer apontando. – Olha, Boomie! Tem uma faixa ali com o seu nome.

Nathan parou a picape e olhou a faixa pendurada sobre a entrada norte:

Bem-vindo, Boomer!

– Ah, Nate. Que gentil. Obrigada. – Ela se inclinou sobre o banco e beijou sua bochecha. – Vamos entrar, Boomer.

Nathan permaneceu sentado encarando a faixa – com balões e letras garrafais –, desconfiado. Ele tinha mencionado o nome de Boomer para o gerente? Não se lembrava. Achava que não, mas como mais ele saberia? Talvez fosse Phil, o curador, pensou. Sim, tinha que ser isso. Phil devia ter ligado e avisado que Nathan ligaria e traria um cachorro chamado Boomer.

Jennifer bateu no vidro e Nathan pulou em seu lugar.

– Você vem?

– Sim, desculpa – ele disse ao abrir a porta.

– Tem alguma coisa errada?

– Não, nada.

Nathan saiu do carro e tentou ignorar todos os acontecimentos estranhos. Ele estava indo jantar com uma linda mulher, disse para si mesmo. Só precisava entrar no clima. Então ofereceu o braço a ela.

– Vamos?

Eles foram acomodados em uma mesa para três no meio de um salão de banquete vazio. Foi meio estranho no começo, ter a sala inteira só para eles, mas não levou muito tempo para se acostumarem. De que outra forma, se perguntaram, um restaurante receberia um cachorro?

Nathan abriu o menu e olhou os preços, somando silenciosamente em sua cabeça o total e torcendo para que o dinheiro de Rudy já tivesse caído em sua conta. Seu cartão de crédito talvez tivesse o suficiente para pagar pela própria refeição, mas se Jennifer esperava que pagasse a dela também, ele precisaria de ajuda.

Ela estendeu a mão sobre a mesa e tocou a dele.

– Por que você não me deixa pagar essa?

Ele sacudiu a cabeça.

– Não, está tudo certo. De verdade. Pode deixar.

– Estou falando sério – disse ela, soltando a mão. – Esse é exatamente o tipo de coisa especial que eu queria oferecer ao Boomer, e nunca teria conseguido sem você. Por favor?

Nathan estava dividido. Ele detestava a ideia de deixar que uma mulher pagasse a sua conta, mas certamente seria um grande alívio.

– Eu não sei...

– E se eu te disser que mando a conta pra um daqueles meus clientes que você atacava? Ficaria mais fácil de aceitar?

Ele riu.

– Você não pode fazer isso.

– Eu poderia. É só dizer para eles que estava tentando te persuadir a publicar uma retratação.

Nathan voltou a ficar sério.

– Só tem um problema. Eu não tenho mais a coluna, lembra?

– E isso realmente te incomoda, não é?

– É claro que sim. Foi como assistir a morte dos meus sonhos. Minha autoestima foi pelo ralo, eu comecei a beber, minha namorada me largou...

– Você ainda tem um emprego – disse ela, recolhendo a mão.
– E, francamente, acho as coisas que você escreve agora muito

melhores do que aquela coluna. Você leva muito jeito com as palavras, Nate.

Ele sacudiu o guardanapo e estendeu sobre o colo.

– Eu não sabia que você tinha lido outras coisas minhas.

Jennifer pegou seu copo de água e tomou um gole.

– Tem muitas coisas que você não sabe a meu respeito.

Uma garrafa de vinho espumante chegou "por conta da casa", e um exército de garçons encheu a sala, trazendo bebidas, informando sobre a situação do jantar e constantemente checando se eles precisavam de mais alguma coisa. Antes mesmo de os filés chegarem à mesa, Nathan já havia contado oito garçons na sala.

– Deve ser uma noite fraca – ele comentou quando o último saiu.

Jennifer concordou.

– É como comer na Grande Estação Central.

Então a porta se abriu e o gerente em pessoa veio trazer o carrinho com a comida, seguido por um membro de sua equipe. Boomer lambeu os beiços ao avistar os pratos de Jennifer e Nathan serem postos à mesa. Por fim, o garçom abriu uma toalha de linho, amarrou ao redor do pescoço de Boomer e pegou o terceiro prato.

– Pedi ao chef que cortasse o filé de Boomer em pedaços pequenos – disse o gerente. – Ele não terá problemas para comer.

– Muito obrigada – disse Jennifer.

– E... hmm... vocês se importariam? – disse, apanhando o celular. – Como recordação.

Ela olhou para Nathan.

– Tudo bem por mim, se você não se importar – ele disse. – O Boomer provavelmente vai terminar muito antes de nós mesmo.

— Tudo bem então — ela disse ao gerente. — Mas depois disso gostaríamos de comer a sós.

— É claro – disse o homem.

Ele segurou o telefone e fez sinal para o garçom. O homem colocou o filé de Boomer na mesa, deu um passo atrás, e só por um momento Boomer hesitou, encarando o prato como um homem no deserto olharia para um oásis, desconfiado que fosse uma miragem. Então ele apoiou as duas patas ao lado do prato e atacou. Quando o filé começou a voar, Jennifer e Nathan protegeram seus próprios pratos e riram alto.

— Haha, muito bom! — disse o gerente, enquanto filmava a cena para a posteridade.

Em alguns segundos a cena acabara. O gerente guardou o telefone e saiu com o garçom após uma reverência graciosa.

— Isso foi ótimo — disse Jennifer. — Eu queria ter pensado em tirar uma foto.

— Eu posso ver depois se o cara nos manda uma cópia do vídeo antes de irmos embora.

Jantaram em silêncio. Boomer pulava para cima e para baixo à procura de pedaços do filé que tivesse deixado cair no chão, enquanto Nathan e Jennifer brindavam com espumante. Boomer ganhou um pouco também – um gole que Nathan colocou em uma tigela de pão –, mas as bolhas o incomodaram, e depois de um único gole ele bateu na lateral do recipiente, derramando tudo.

— Como ele é crítico – disse Nathan, enquanto limpava o vinho.

Jennifer sorriu.

— Foi adorável, Nate. Muito obrigada.

— O prazer é meu.

Ela olhou para a mesa.

— Eu sinto como se devesse te convidar para o meu quarto, mas...

– Está tudo bem. Você precisa focar o Boomer, por enquanto. Teremos tempo depois.

– Obrigada.

– A menos... – ele continuou, sorrindo. – Que você tenha mudado de ideia.

Ela balançou a cabeça.

– Na verdade não. Só achei que devia dizer alguma coisa depois de tudo que você preparou.

Eles colocaram a guia em Boomer e foram na direção da picape.

– Opa, quase esqueci – disse Nathan, enquanto Jennifer ajeitava Boomer – Espere aí, já volto.

Ele correu pelo estacionamento e entrou no restaurante para falar com o gerente.

– Nós aproveitamos bastante – ele disse. – Obrigado mais uma vez.

O homem concordou graciosamente.

– É claro. O prazer foi nosso.

– Eu estava pensando – falou Nathan. – Se eu te der meu endereço de e-mail, você se importaria em me mandar uma cópia daquele vídeo? Nós nem pensamos em filmar.

– Boa tentativa, cara – disse o gerente, explosivo. – Vá fazer os seus próprios vídeos.

CAPÍTULO 22

Quando Jennifer acordou na manhã seguinte, Boomer ainda estava adormecido na cama, algo que não tinha acontecido desde aquela manhã em Joliet. Vê-lo deitado imóvel na cama trouxe uma onda de ansiedade, algo que nunca andava muito distante, apesar dos conselhos de Nathan para que não se preocupasse. Será que Boomer estava simplesmente se recuperando do jantar na noite anterior ou algo mais sério estava acontecendo?

Ela se levantou silenciosamente da cama e começou a se vestir. Após a visita no Celeiro Redondo, no dia anterior, esse era para ser um dia "divertido" com Nathan no comando, mas talvez fosse melhor os três pegarem leve. O jantar na noite anterior fora bem especial, afinal, e fora Nathan que a convencera a não tentar encaixar empolgação em cada segundo da viagem. Dois dias mais lentos em sequência não seriam um problema.

Quando ela terminou de se arrumar, Boomer se espreguiçou e saltou da cama.

– Bom dia, dorminhoco – disse ela ao ver que ele se dirigia ao banheiro. – Espero de verdade que você não esteja nem pensando em tomar água da privada.

Ele mudou de direção e se encaminhou para sua tigela de água. Jennifer sorriu.

— É, imaginei.

Então ouviu uma batida na porta.

— Deve ser o Nate.

Jennifer abriu a porta e de súbito perdeu o fôlego. Lá estava Nathan, usando calças jeans e uma camiseta apertada, com o cabelo ainda molhado do banho matinal, pronto para comer. Impulsivamente, ela se aproximou e o beijou.

— Uau. Posso sair e entrar de novo?

— Não seja ganancioso — ela disse, se afastando da porta. Boomer tinha terminado de tomar água e veio na direção de Nathan abanando o rabo, com uma recepção calorosa. Nathan se abaixou para afagá-lo.

— Estão prontos para se divertir hoje? Encontrei um lugar ótimo para nós.

— Eu não sei — disse Jennifer. — O Boomer parece meio cansado. Estava pensando que talvez fosse melhor pegar leve.

— Ah, mãe — reclamou Nathan. — Não seja estraga-prazeres.

Ela sorriu e olhou para o lado, pensativa sobre o que ouvira. Ela estava sendo uma estraga-prazeres? Em Illinois, ela estava pronta para voltar para casa, certa de que ela e Boomer não encontrariam nada especial naquela viagem. Se fosse por ela, eles estariam em casa agora, à espera dos minutos finais do cão. Em vez disso, Boomer visitou uma fazenda de animais no Missouri, julgou uma apresentação de cães em Oklahoma e jantou em uma churrascaria no Texas. Se Nathan estava certo sobre essas coisas, talvez estivesse certo agora também.

— Está bem — disse ela. — Vamos nos divertir.

– Uma fábrica de brinquedos barulhentos para cachorro? – perguntou Jennifer quando finalmente pegaram a estrada. – Como raios você encontrou isso?

Nathan estava no banco do passageiro, à procura do folheto que pegara no hotel.

– O atendente da recepção me falou desse lugar. Eles fazem o *tour* da fábrica todo dia às onze e às duas.

– E você tem certeza de que o Boomer pode entrar?

– Ele disse que sim.

Ela olhou para Boomer pelo retrovisor. Ele não estava sentado com o focinho para fora da janela como de costume, mas simplesmente deitado com a cabeça para fora do banco. A mesma sensação estranha de quando acordara tomou conta dela novamente.

– Ele parece bem para você? – ela perguntou.

– Sim, por quê?

– Eu não sei. Espero que aquele filé não tenha sido muito gorduroso para ele.

– Ele está bem, Jen. Garanto. Podemos dar um descanso para ele sem pirar ninguém?

Ela concordou.

– Tenho certeza de que está certo. Desculpe. Como está indo a escrita?

– Hmm. Ah, bem. Você sabe, só estou procurando as palavras certas.

Ele parecia incomodado, e Jennifer decidiu não tocar mais no assunto. Ela sabia o quanto era chato quando as pessoas lhe perguntavam sobre o andamento do trabalho durante um projeto.

– A paisagem aqui é tão linda – ela disse. – Os platôs ao longe são realmente interessantes.

Nathan dobrou o mapa.

– Planícies elevadas. A maior parte do Novo México é seca e alta.

Ela concordou.

– Eu costumava viajar bastante quando era modelo e pensei que sabia como era o campo. Mas nessa viagem eu comecei a perceber o quão pouco eu realmente vi. É tudo tão... vasto.

Ele olhou para ela.

– Posso te perguntar uma coisa? Se você não quiser responder, não tem problema.

– Lá vem – ela riu. – Tudo bem, o que é?

– Por que as mulheres bonitas sempre agem como se não soubessem o quão belas são de verdade?

Jennifer olhou para ele de lado.

– Estamos falando de mim?

– Percebe? Você acabou de provar a minha teoria. Agora, que tal responder?

Ela suspirou e fingiu pensar sobre o assunto, mas na verdade estava ganhando tempo. O fato era que Jennifer fizera essa mesma pergunta para si muitas vezes ao longo dos anos. Por que um elogio sempre levava a essa negação automática? Ela vira outras mulheres fazerem isso, e ela mesma fizera por tantas vezes que era quase um reflexo físico.

– Ser uma mulher bonita não é tão fácil quanto parece – ela prosseguiu, revirando os olhos. – Eu sei, "blá-blá, pobre de mim", mas é verdade. As outras mulheres não gostam de você, então você acaba recebendo grosserias por algo que não pode evitar. Além disso, tem a pressão de não fazer mais nada da sua vida por tirar a oportunidade de uma mulher não tão bonita. De alguma forma as pessoas esperam que ter a sorte de ser bela já baste na vida.

– E você já passou por isso muitas vezes.

— Exatamente. A única coisa que você pode ser é bonita. O problema é que, se você entra nessa, quando a beleza acaba você perde tudo.

Nathan pensou a respeito.

— Sim, mas pelo menos você nunca está sozinha. Nenhuma mulher deslumbrante fica sozinha em casa em um sábado a noite.

— Você ficaria surpreso. A maioria dos homens fica muito intimidado para me convidar para sair, e os que convidam normalmente estão procurando alguém que os faça parecer importantes para outros homens. E Deus te livre se você se cansar de ser o troféu de alguém.

Ele pensou um pouco mais sobre isso.

— E você sempre soube que era bonita?

— Nossa, não. Quando eu tinha catorze anos, eu era a garota mais feia do planeta. Um metro e setenta, menos de cinquenta quilos, dentes encavalados e um ninho de rato no lugar dos cabelos. Eu era tão esquelética que se juntasse os tornozelos ainda daria pra passar um leitão entre as minhas coxas.

Nathan fez uma careta.

— Eu não acredito.

— É verdade — ela continuou. — Por sorte a gente não tinha dinheiro para ter muitos espelhos em casa, ou eu teria uma autoestima horrorosa.

— E o que te salvou? Além da falta de espelhos.

— Meu pai. Ele sempre disse que eu era a garota mais linda do mundo, e mesmo quando eu não acreditava muito, ainda sabia que ele não era um mentiroso.

— Então, o que te transformou de patinha feia em cisne?

— Victor Otchenko. Você o conhece por Vic Ott. Eu estava à procura de um trabalho de verão e ele colocou um anúncio no jornal local procurando pessoas para entregar panfletos. Disse que eu tinha potencial.

– E o que o seu pai achou disso?

– Não gostou muito, mas ele morreu alguns meses depois, e nós ficamos desesperados por dinheiro. Vic convenceu minha mãe a assinar um contrato que fazia dele o meu agente e começou a me preparar, literalmente, para uma carreira de modelo. O cabelo, os dentes... Ele consertou tudo. De muitas formas, eu ainda sou grata a ele por isso. O que é bom, porque isso tornou mais fácil para mim pagar a pensão dele quando nos divorciamos.

– Que nojo.

– Ele se casou de novo – disse ela, sorrindo. – Fiquei tentada a mandar um cartão de agradecimento para a esposa no aniversário deles.

Eles chegaram a Santa Rosa com dez minutos de antecedência. Ao dirigirem pela cidade, Jennifer ficou maravilhada com a quantidade de lagos ali.

– É como um oásis no deserto.

– É exatamente isso – respondeu Nathan. – O solo abaixo é arenoso, basicamente areia compactada em forma de rocha. Quando a água passa por ela, a rocha começa a se partir, deixando vãos que se enchem de água. Quando a superfície fica fina o suficiente, você tem um ralo, e a água começa a subir. Então você ganha um lago.

– Uma pena que o clima não esteja bom. Aposto que o Boomer adoraria sair e brincar na água.

– Talvez se viéssemos aqui no verão, mas está frio demais agora. Além disso, temos algo melhor ainda para fazer. – Ele apontou. – Ali está.

A fábrica de brinquedos ficava em um prédio não mapeado nos arredores da cidade. Além de uma placa escrita à mão, não havia nada que indicasse uma indústria ali. Jennifer estacionou a picape próximo à entrada e os três desceram.

– Tem certeza de que é aqui? – ela perguntou.

– De acordo com o panfleto, sim.

Eles abriram a porta da frente e entraram em um cômodo não muito maior que o closet da casa de Jennifer. Do lado de dentro havia duas cadeiras verdes, uma mesa de plástico e um bebedouro. À direita havia outra porta e uma janela de atendimento. Quando a porta se fechou atrás deles, uma campainha soou. Alguns segundos depois uma adolescente surgiu na janela.

– Posso ajudar?

– Sim – respondeu Nathan. – Viemos fazer o passeio na fábrica.

Ela arregalou os olhos.

– De verdade? Nossa, que legal. Espere um segundo. Vou chamar um dos rapazes para levar vocês.

Jennifer se virou e lançou um olhar cético para Nathan.

– Dois passeios por dia?

– Só segui o que o panfleto dizia. Não me responsabilizo por propaganda enganosa.

Ela ouviu um barulho de chave e a porta à esquerda deles se abriu. Ali estava um homem hispânico baixinho, que parecia tão contente e surpreso em vê-los quanto a garota. O bordado em sua camisa dizia *Isidro*.

– Vocês vieram fazer o passeio? – ele perguntou.

Jennifer confirmou com a cabeça.

– Sim, se não for incômodo.

– Não, incômodo nenhum. Venham, entrem, sejam bem-vindos.

Quando ele deu as costas e entrou, Jennifer olhou de volta para Nathan.

– Não estou certa disso.

– Vamos lá – disse ele, empurrando-a. – É o nosso dia divertido, lembra?

Eles prosseguiram para uma grande construção de metal com teto alto, piso de concreto e praticamente nenhum isolamento térmico. Pequenas mulheres de cabelos pretos estavam sentadas em longas mesas de madeira, coladas umas nas outras para tentar se aquecer. Algumas costuravam tecidos coloridos, outras juntavam os pedaços com espuma e a peça que faz barulho quando o brinquedo é mordido ou chacoalhado. Não era exatamente infernal, mas Jennifer não podia deixar de pensar no quão entediante parecia sentar naquelas mesas todos os dias.

Isidro, no entanto, não parecia minimamente incomodado com aquilo e, quando passaram, ele apontou orgulhoso para a área de projetos, as mesas de corte e as pilhas de material que seriam transformados em brinquedos para alegrar cães ao redor do mundo. Talvez as mulheres ali pensassem nos cães que receberiam os brinquedos feitos à mão. Se fizessem isso, talvez o trabalho não parecesse tão ruim assim.

Enquanto passaram da sala de produção para a de embalagem e empacotamento, a adolescente que os recebera na entrada se juntou a eles. Ela parecia ansiosa para participar do passeio e interrompeu Isidro diversas vezes para perguntar por onde eles andaram e para onde iriam a seguir. Jennifer achou as perguntas da garota irritantes, mas Nathan parecia ter uma paciência infinita, e Boomer estava gostando dos carinhos e elogios da adolescente. Ela decidiu que a melhor coisa a fazer era manter as respostas curtas e terminar aquele passeio o mais rápido possível. A menos que algo espetacular acontecesse em breve, isso não passaria nem perto de se qualificar como "dia divertido".

Isidro apontava para enormes tonéis de brinquedos terminados à espera de serem encaixotados, quando a garota perguntou se podia dar um brinquedo para Boomer. Jennifer concordou.

– Qual é o favorito dele?

Ao ver que Jennifer estava cansada das constantes intromissões da garota, Nathan se adiantou e entrou na conversa.

– Ele gosta de carros. Acho que ele tem um Relâmpago McQueen em casa.

– Ah, nós fazemos um carro que parece muito com o Relâmpago McQueen disse ela. – Vou pegar um para você.

Antes que Jennifer pudesse interferir, a garota apanhou a guia de Boomer da mão de Nathan e correu com ele para um latão cheio de milhares de carros de corrida vermelhos.

– Ei!

– Não se preocupe – falou a garota. – Vou trazê-lo de volta.

Nathan apoiou a mão no ombro de Jennifer.

– Está tudo bem, ainda estamos do lado de dentro. Eles não vão a lugar nenhum.

Isidro fechou a cara quando a garota ficou na ponta dos pés para pegar um brinquedo.

– Cuidado! – ele gritou em espanhol. – Tenha cuidado.

– Você quer um carro, Boomer? – disse a garota. – Vou pegar um para você.

Apoiada na lateral do latão, ela saltou para apanhar um carro de brinquedo.

– Opa!

A lata virou, derramando um tsunami de carros de brinquedo pelo chão da sala de empacotamento. Boomer mergulhou na pilha, atacando os carros um por um e sacudindo todos violentamente.

— Olhe só ele! — gritou Nathan. — Está no paraíso dos cachorros.

O som dos brinquedinhos barulhentos sendo pisados, sacudidos e derrubados ecoou pela construção de metal, aumentando o frenesi de Boomer. Nathan estava se dobrando de rir, tal como muitos outros funcionários, mas Jennifer estava nervosa. Não era típico de Boomer atacar seus brinquedos com tanta violência. Ele podia estar se divertindo, mas estava fazendo uma bagunça, e os brinquedos que destruía ficaram danificados demais para vender. Eles precisavam sair dali antes que ele arruinasse todo o lote. Ela se aproximou, esperando conseguir manter as coisas sob controle.

A lata voltara para a posição original, e Isidro estava sacudindo os braços, em uma tentativa de manter Boomer afastado dos brinquedos ainda não danificados enquanto os outros funcionários os recolhiam. Jennifer mergulhou no mar de carrinhos vermelhos e recuperou a guia do cachorro, tirando-o dali. Boomer estava ofegante, e ele parecia estar com dificuldades para respirar. Ela inspecionou sua boca e entrou em choque ao ver que as gengivas estavam azuis. Ao erguer a cabeça para avisar Nathan, Jennifer viu de relance a garota que derrubou o latão guardar o celular no bolso.

O que diabos está acontecendo?

— Vamos sair daqui — ela disse.

Nathan recuperou a compostura rapidamente.

— Por quê? Qual o problema?

— Não tenho certeza, mas o Boomer não está bem. Vou colocá-lo de volta na picape enquanto você pergunta pro Isidro qual foi o dano. Depois vamos embora.

CAPÍTULO 23

Nuvens negras como a decoração de um funeral se erguiam sobre eles, e o céu escuro refletia a turbulência interna de Nathan enquanto ele dirigia determinado para Albuquerque. A tempestade que começara a se formar no oeste, deixando um palmo de neve em Sierras e chuvas torrenciais no norte do Arizona, estava prestes a chegar ao Novo México. Quanto antes os três chegassem ao hotel, melhor.

Jennifer olhava para o outro lado, encarando a janela. Os dois não haviam se falado muito desde a parada para o jantar, mas Nathan sabia que ainda não tinha sido perdoado pelo desastre na fábrica de brinquedos. Ele resistiu à ideia por quase uma hora, mas finalmente admitiu que fora sua culpa. Ele podia não saber que as coisas ficariam fora de controle, mas, quando aconteceu, não fizera nada para ajudar. Devia ter segurado a coleira de Boomer com mais firmeza, devia ter impedido a garota quando a viu subir no latão, mas, acima de tudo, não devia ter rido. Se ele tivesse mantido a compostura, talvez Jennifer não estivesse tão brava.

Ele ainda não estava convencido, no entanto, de que Boomer tivesse corrido risco em qualquer momento.

Apesar da insistência de Jennifer de que as gengivas do cachorro haviam ficado azuis, ninguém mais havia visto, e Nathan suspeitava de que o medo tivesse feito com que ela imaginasse aquilo. Ela apenas olhou muito rapidamente antes de alertar que as gengivas de Boomer estavam azuis, e, afinal, não era tão fácil ver o interior da boca de um cachorro sem uma lanterna. Considerando que Boomer estava com dificuldades para respirar e Jennifer sempre pensava nos avisos do veterinário, era fácil para ela ver algo que não estava de fato acontecendo.

E, mesmo se Jennifer estivesse certa e Boomer tivesse ficado cianótico, quando voltaram para a picape ele claramente não estava mais. Se ele se recuperara tão depressa, argumentou Nathan, qualquer que fosse o problema não podia ser tão grave. Além disso, Boomer não parecia estar sofrendo nenhum efeito colateral. Ele estava cansado, é claro, mas isso era esperado depois de tanta empolgação. No entanto, não havia como negar que o passeio na fábrica não fora tão divertido quanto ele prometera, e o dano causado nos brinquedos custara a ele quase um quarto do dinheiro que pegara emprestado com Rudy; então, no fim das contas, chamar o incidente de desastre não estava tão longe da realidade.

Um relâmpago em forma de teia de aranha atravessou o céu, seguido pelo rugido de um trovão que parecia o barulho de um cachorro perigoso. Quando a picape estacionou diante do hotel, enormes gotas de chuva começaram a atingir o para-brisa. Nathan saiu e arrastou toda a bagagem para fora do carro, enquanto Jennifer e Boomer corriam para dentro.

Na mesa de recepção, não houve troca de olhares nem discussões íntimas sobre quantos quartos precisariam. Jennifer deu seu nome para o atendente e entregou o cartão de crédito sem consultar Nathan, então apanhou sua mala e se dirigiu para o quarto com um brevíssimo agradecimento. Enquanto ela atravessava o corredor puxando Boomer, o cão olhou tristonho para ele de longe.

O quarto de hotel era modesto: uma única cama de casal, um criado-mudo, uma mesa e uma cadeira, com retratos de animais de fazenda e vaqueiros nas paredes. Nathan pendurou a bolsa no banheiro para secar, apanhou uma toalha e começou a secar o rosto e os cabelos. Era como se os céus tivessem se aberto, ele pensou, e a chuva caísse em cântaros. No breve momento entre descer do carro com as malas e chegar à recepção, ele ficou ensopado. Tirou a camiseta, pendurou no banheiro e descalçou os sapatos.

Nathan se perguntava o motivo de Jennifer estar brava com ele. Será que ela realmente pensava que ele sugerira a fábrica para que Boomer ficasse exausto? Ele achava que ela estava melhorando em deixar a paranoia de lado e permitir que o cachorro se divertisse, mas em vez disso ela começou a culpá-lo pela piora na saúde de Boomer. Bem, deixa pra lá. Se era assim que seriam as coisas dali em diante, ele precisava parar um pouco e repensar todo aquele relacionamento.

Nathan estava esvaziando a bolsa quando seu telefone tocou. Sentiu um calafrio ao ver o número na tela.

Julia.

Já fazia quatro dias desde que ele mandara a última história, quatro dias inteiros sem uma única palavra de explicação. Não que uma desculpa qualquer fosse livrar sua barra. Ela diria que ele fez um acordo e qualquer desvio de sua parte seria considerado uma traição. Sua única esperança era distraí-la por tempo suficiente para aplacar a ira. Nathan respirou fundo, tentando não entrar em pânico.

— Ei, Julia. Como vai?

Sua editora estava no meio de um acesso de tosse induzida por nicotina.

– Oh – ele disse. – Você não parece bem.

– Só um resfriado – ela disse ofegante.

– Talvez você devesse tirar uns dias de folga.

– Eu tirei... três dias... – disse, ainda com a respiração difícil. – No hospital.

– Por um resfriado?

– Era dos fortes.

Ele ouviu um barulho de papel rasgado e o som inconfundível do isqueiro, seguido por uma sonora tragada.

– E ainda assim você continua fumando.

Julia limpou a garganta.

– É dos mentolados. Este faz bem.

Nathan sacudiu a cabeça. Se ela queria se matar, não havia nada que ele pudesse fazer.

– E não vi nenhum artigo seu na minha caixa de entrada.

– Estou trabalhando nisso.

– Tenho certeza de que sim.

O sarcasmo de Julia era absolutamente irritante.

Nathan sentiu seu lábio tremer.

– Olhe, nós dois sabemos que esses artigos não vão ser publicados em breve. Para que tanta pressa?

– Você está certo. Se eu chegar a publicar alguma coisa, só no próximo verão.

– Então por que a ligação? Não diga que sentiu minha falta.

Houve uma longa pausa enquanto ela tragava o cigarro. Mesmo com a fumaça enroquecendo a voz de Julia, ela parecia mais ávida do que preocupada.

– O quanto você gostaria de ter a sua coluna de volta?

O coração de Nathan disparou. Ela estava brincando. Depois do ignominioso rebaixamento no ano anterior, seu mundo desmoronara. Ele se sentia como um homem faminto diante de uma refeição com cinco pratos.

— Se isso for uma piada...

— Não é. Já acertei os detalhes com os poderosos.

Ele cerrou os olhos. Uma coluna era uma posição de destaque em um jornal. Ninguém te dava uma sem esperar algo em troca.

— Tudo bem, você tem a minha atenção. O que eu preciso fazer?

— Você tem Wi-Fi aí, nesse fim de mundo?

— Acho que sim.

Nathan apanhou seu computador na mochila e digitou apressadamente o nome de usuário e senha que a atendente lhe entregara na recepção.

Ele entrou na rede do hotel e viu as centenas de e-mails sem resposta que entulhavam sua caixa de entrada. Não era só o trabalho que ele estava evitando nos últimos dias; era o mundo inteiro.

— Estou on-line. E agora?

— Tem uma página que está causando um falatório, e preciso que você investigue. Chama-se *O último desejo de Boomer*.

Ele hesitou, com as mãos posicionadas no teclado.

— Último...

— Desejo de Boomer, três palavras. É sobre uma mulher que leva o cachorro doente em uma viagem através do país para fazer coisas de que ele gosta antes de morrer.

Nathan digitou o nome e deu o Enter, sentindo como se uma mão gelada tivesse apertado seu coração. Lá estava, um site repleto de fotos de Jennifer e do cachorro na tela. Era uma grande produção, sem dúvida, com memes engraçados, GIFs e um espaço para comentários. Os visitantes da página podiam até participar de um jogo chamado "Por onde anda Boomer?", enviando fotos de Boomer e Jennifer. Ao navegar pela página, ele viu a si mesmo em uma das imagens, sentado na plateia da apresentação de cães, e sentiu um choque. Se Julia tinha visto aquilo, isso explicaria a ligação.

– Sim, estou vendo.

– Então, o que você acha? Muito bem-feito, não?

– Sim, e daí?

– E daí que atraiu muita atenção e gerou tanto interesse que até parece que a história foi fabricada para isso.

Ele piscou.

– Você está me dizendo que é uma farsa?

– Não sei se é ou não. O que eu sei é que a firma de relações públicas que gerencia a página tem uma reputação, digamos, de distorcer a verdade quando se trata de negócios. Isso, somado ao fato de que a página está coberta de publicidade, me deixou realmente desconfiada.

Nathan sentou e passou as mãos no cabelo. Será que a história de Jennifer sobre a doença de Boomer era um golpe publicitário? Ele já havia se perguntado o quão doente o cachorro realmente estaria, mas a forma como ela engasgara ao contar a história do diagnóstico fora bastante convincente. Ele caminhou na direção da janela e abriu as cortinas, observando o Toyota preto estacionado a cerca de vinte metros de distância. A ideia de que tivesse sido enganado pôs um gosto amargo na sua boca.

– Então, o que você quer que eu faça?

– Veja se você consegue descobrir o que realmente está acontecendo. O site diz que eles estão seguindo a Rota 66 na direção da costa oeste. É uma tentativa, mas, se você os encontrar, a *Tribuna* está disposta a ressuscitar sua coluna para você contar isso ao mundo.

— Expô-los?

— Isso depende do que você descobrir. Neste momento as pessoas estão enlouquecidas com o Boomer e essa moça Westbrook. Se você puder descobrir essa história antes da concorrência, isso trará bastante exposição, para você *e* para nós.

Será que ele podia fazer aquilo? Se Julia estivesse errada e a condição de Boomer fosse tão ruim quanto ele ouvira, ele poderia pôr fim aos rumores, mas, se ela estivesse certa, ele teria não apenas sua coluna de volta mas vantagens sobre a concorrência em um escândalo suculento. De uma forma ou de outra, ele não acreditava que Jennifer o perdoaria.

Ele afastou esse pensamento. Isso não era pessoal, era o seu trabalho, e Jennifer era bem grandinha. Se ela estivesse dizendo a verdade, então entenderia. Se não estivesse... Ele sacudiu a cabeça. Bem, se ela não estivesse falando a verdade, isso não importaria mais, porque ela não seria a mulher que ele pensava que fosse. A única pergunta importante era se ele realmente queria sua coluna de volta.

— Então, o que me diz? — perguntou Julia. — Você consegue encontrá-los?

Nathan fechou as cortinas.

— Acho que já encontrei.

CAPÍTULO 24

– Meu Deus, Stacy. Esse lugar é incrível.
Stacy e sua melhor amiga, Madison, estavam paradas na calçada, admirando a casa de Jennifer. A rua repleta de árvores, o exterior de bom gosto e a paisagem deslumbrante: tudo era muito diferente do triste apartamento na zona sul que as duas chamavam de lar.

– Eu venho aqui todo dia agora – disse Stacy. – Jennifer me disse que eu podia me sentir em casa enquanto ela estivesse fora.

Desde que *O último desejo de Boomer* decolara, Stacy se tornara uma espécie de celebridade entre as amigas. A notoriedade tinha ajudado não só a aliviar o sentimento de desconforto em relação ao site, mas também permitira que ela pegasse gosto pela inveja e respeito das outras. Era justo que compartilhasse isso com sua melhor amiga.

Quando elas se dirigiram à entrada, Madison avistou as ofertas acumuladas na porta de entrada.

– Olha só essas flores! Você estava certa, este lugar parece um memorial ou algo assim.

Madison olhou para o bicho de pelúcia e mordeu os lábios.

— Você se importa se eu colocar ele ali por um momento pra tirar uma selfie?

— Vá em frente.

Stacy sorriu indulgente. Ela dissera a amiga para não trazer nada, que já havia presentes demais lá, mas Madison retrucou que seria um sacrilégio aparecer de mãos abanando e, por fim, ela cedeu. Contanto que não fossem mais flores, ela podia levar o que preferisse.

Madison deu um passo à frente e posicionou o Rottweiler em miniatura, um mascote que ela tinha desde a segunda série, sobre a pilha de presentes, então sacou o telefone para tirar algumas selfies, verificando em seguida se as fotos continham visivelmente ela e o brinquedo. Ao apanhar novamente o Rottweiler, Stacy abriu a porta e deixou as flores para trás.

— Você não vai recolher?

Stacy sacudiu a cabeça.

— Já tem uma tonelada lá dentro. Estou doando as novas para um asilo.

Madison observava as flores, desejosa.

— Você pode levar alguma, se quiser.

— De verdade? Obrigada.

Ela entrou e tirou os sapatos. O buquê de flores na entrada começara a murchar, então Stacy o jogou fora e esvaziou a água do vaso na pia do lavabo, verificando se as demais plantas ainda precisavam de água. Madison ficou na sala de estar e colocou o Rottweiler respeitosamente sobre a pilha de ursos de pelúcia.

— Você acha que ela vai gostar? Eu coloquei um bilhete junto, para falar o quanto eu sinto pelo Boomer.

— É claro — respondeu Stacy. — A Jennifer é muito legal.

Ela abriu as cortinas, desligou a luz da varanda e começou a espanar o pó da mobília enquanto Madison inspecionava o ambiente.

– Parece uma foto de revista.

Stacy olhou ao redor, tentando ver o lugar pelos olhos da amiga. Parecia realmente algo saído de uma revista. As cores escolhidas por Jennifer eram tranquilizantes, e o estilo era clássico, nada extravagante nem cheio de modismos.

Perfeito, ela pensou. Tudo relacionado a Jennifer era perfeito. Ela podia ser linda e rica, mas não era grosseira nem arrogante, nem agia como se fosse melhor que os outros. Stacy sorriu. Jennifer era tudo que ela queria ser quando crescesse.

– Quando vamos comer? – perguntou Madison. – Estou faminta.

– Em um minuto. Preciso checar o andar de cima.

– Posso ir junto?

– Claro – respondeu Stacy, sorrindo.

Madison ficou tão impressionada com o segundo andar quanto Stacy da primeira vez que fora lá.

– Olhe todo esse espaço – ela disse com os braços abertos. – E ela nem divide a casa com ninguém.

– E nem precisa – disse Stacy. – A casa é dela.

Madison bufou.

– É, bem. Quando você nasce bem de vida, é fácil conseguir as coisas.

Stacy estava checando as plantas.

– E essa é a parte impressionante. Ela veio do nada, pior que nós. O pai dela morreu quando ela ainda estava na escola, e a mãe ficou deprimida demais para trabalhar, então Jennifer precisou conseguir um emprego para sustentar a casa.

— Enquanto estava na escola?

— Logo depois. E ela casou também, e o cara batia nela.

Madison parecia cética.

— Foi ela que contou isso?

Stacy corou.

— Não, mas eu li o artigo da Wikipédia sobre ela, e dá para entender isso.

— Bem, então é mais que merecido – finalizou Madison. – Podemos comer agora? Estou morrendo aqui.

Elas entraram na cozinha e Stacy apoiou o pacote de donuts no balcão, ligou a cafeteira Keurig e checou o estoque de cápsulas de café. Mordeu o lábio, pois a gaveta estava quase vazia. Teria usado tantas assim? Precisava comprar mais logo. Jennifer provavelmente não se importava que ela estivesse usando as suas coisas, mas também não iria querer encontrar as gavetas vazias ao voltar.

— Veja, é granito de verdade – disse Madison, ao passar a mão no balcão. – Olha como é geladinho! Quando eu ganhar na loteria, vou comprar uma cozinha igual a esta.

Havia uma bandeja perto da pia que Stacy usava quando comia do lado de fora. Nos últimos três dias desde que Derek Compton dera a ela permissão para passar mais tempo na casa de Jennifer, o café da manhã na varanda se tornara seu ritual matinal. Ela serviu dois pratos, guardanapos e colheres, e colocou o terceiro prato na bandeja com os donuts sobre ele.

— Eu trouxe o jornal de casa. Quer ler enquanto comemos?

— Claro.

Madison se aproximou e olhou para a cafeteira Keurig.

— O que é isso?

— É uma cafeteira chique. Qual você quer? Tem Green Mountain, Tully's e Starbucks.

– O Starbucks é comum ou torrado?

Stacy checou.

– Torrado.

– Então pode ser o Tully's.

– Latte?

Madison riu.

– É claro.

Quando o café ficou pronto, elas colocaram as canecas na bandeja e foram para a varanda. O ar estava fresco ali, tão perto do rio, mas a neblina havia se dissipado, e havia uma brisa leve. A beira do rio estava movimentada. Havia corredores e ciclistas passando com roupas cor de néon, e um adolescente em um skate passou pelas folhas caídas. Uma jovem caminhava empurrando um carrinho de bebê enquanto falava ao telefone, e um homem com um terno de lã cinza estava sentado no banco com um enorme gato laranja no colo. As duas amigas assistiam a tudo aquilo em um silêncio confortável enquanto dividiam os donuts e abraçavam a caneca de café para se aquecer.

– É tão civilizado por aqui – disse Madison. – Alguns dias deve ser difícil ir pro trabalho, né?

– Com certeza.

Stacy suspirou. Enquanto estava ali sentada, era fácil esquecer que aquela casa não era dela e que logo precisaria ir para o trabalho sem perspectiva onde ganhava menos que as faxineiras.

– E como vão as coisas com o tal do Jason?

– Melhores, acho – disse, torcendo a cara. – Na maior parte do tempo ele me deixa em paz.

– Se quer minha opinião, eu acho que ele deve ser um babaca.

Madison apanhou o jornal.

– Você quer esportes, notícias locais ou manchetes? Já peguei as tirinhas.

– Esportes, acho. O resto é muito deprimente.

Madison separou o jornal e deu a ela a seção de esportes. Stacy mordeu os lábios ao ler a primeira página. Os Bears perderam os três primeiros jogos, e a temporada de basquete só começaria no próximo mês. Exceto algumas rivalidades de que ela se lembrava dos tempos de escola, não havia mais nada que interessasse a ela no caderno de esportes. Talvez devesse ter escolhido as manchetes.

– Ah, isso sim é interessante – comentou Madison. – Parece que trouxeram de volta a coluna do Nathan Koslow.

– Achei que o tivessem demitido depois do processo.

– Parece que não.

Stacy ficou contente que a *Tribuna* tivesse reconsiderado; ela sentia falta da abordagem do cara sobre os poderosos de Chicago. Algumas pessoas, pensava, simplesmente mereciam ser rebaixadas um pouco.

– Então, quem está na mira dele desta vez?

Madison lia o artigo atenta, parecendo preocupada.

– Maddy, tem alguma coisa errada?

– Não tenho certeza – ela respondeu com cuidado. – Quer dizer, quase parece que é sobre sua amiga e o cachorro dela.

– O quê? – perguntou Stacy, arrancando o jornal das mãos de Madison para ler.

O título era "Corações partidos, dores de cabeça e farsas", e os dois primeiros parágrafos eram sobre um contador que estava desviando dinheiro de um projeto de caridade local.

Stacy franziu o cenho.

– O que esse desvio tem a ver com a Jennifer?

– Leia mais. Está mais perto do fim.

Ela seguiu pelos próximos parágrafos, algo sobre uma disputa entre o prefeito e os defensores dos sem-teto, ainda se perguntando sobre o que Madison estava falando. Então, chegou ao último parágrafo com os pelos da nuca arrepiados.

> Ninguém que já leu alguma daquelas citações de Abraham Lincoln sobre os perigos da internet acredita que a rede mundial seja um ambiente povoado exclusivamente pela verdade. No entanto, costumamos esperar que alguns limites não sejam ultrapassados nem pelos mais cínicos entre nós; e nessa lista constam mentiras envolvendo crianças e animais. Então, quando rumores sobre um site popular envolvendo uma moça e seu cachorro "à beira da morte" chegaram aos meus ouvidos, descobrir a verdade a esse respeito se tornou prioridade. Ainda não tenho respostas, caros leitores, mas garanto que este repórter está trabalhando no caso. Fiquem ligados para mais notícias exclusivas.

―

— O que você acha? — perguntou Madison. — Ele está falando de *O último desejo de Boomer*?

É claro que sim, pensou Stacy. Quantos sites populares sobre uma mulher e um cachorro moribundo existiam? Exceto que não era uma farsa. Ela quis ligar para o jornal e dizer algumas verdades para Nathan Koslow.

Furiosa, Stacy jogou o papel de lado, derrubando a caneca de café. Madison gritou, e as duas saltaram, mas já era tarde. Quando a caneca bateu no chão, espalhou o líquido cor de caramelo sobre as duas.

— Por que você fez isso? — resmungou Madison, enquanto tentava limpar a mancha que se espalhava rapidamente com um guardanapo. — Era a minha melhor calça.

— Sinto muito, Maddy, nem pensei.

As duas entraram para ver o que poderia ser feito por suas roupas. As calças de Stacy estavam arruinadas, e havia café com leite morno escorrendo em seus sapatos.

— Será que ela tem água tônica? — gritou Madison, apanhando um monte de papel toalha.

Stacy checou a dispensa.

— Acho que eu bebi a última. Veja se água gelada normal ajuda.

Enquanto Madison aplicava as medidas de primeiros socorros em suas calças, Stacy apanhou uma esponja e foi limpar a bagunça na varanda. Para sua sorte, estava usando calças pretas naquele dia. Se ela ficasse atrás da mesa no trabalho, talvez ninguém percebesse. Ela lavou toda a área manchada que conseguiu, então trouxe tudo para dentro novamente para tentar ler outra vez a coluna de Koslow.

Madison estava terminando de secar o resto da água em suas calças.

— O que o Koslow disse não é verdade, é?

— É claro que não — disse Stacy, agitada. — Jennifer ficou realmente arrasada com o diagnóstico do Boomer, e ela nunca tiraria o mês se ele não estivesse realmente doente. Ela é superdedicada ao trabalho.

Ela apoiou o jornal no balcão e desfez as rugas no rosto. Ficara tão chocada ao ler a parte sobre *O último desejo de Boomer* que mal podia se lembrar exatamente o que dizia.

Madison olhou ao redor.

— Eu preciso secar a minha roupa. Tem um secador na casa?

Stacy apontou vagamente.

– Veja no banheiro de hóspedes lá em cima.

Em uma segunda leitura, a coluna não parecia tão ruim assim. Dizer que havia rumores não era o mesmo que dizer que estes eram verdade no fim das contas, e Koslow admitiu que ainda estava investigando o caso. No entanto, escrever algo assim sem checar os fatos antes era irresponsável, e ele não podia fazer aquilo sem falar com Jennifer. Como Koslow achava que descobriria a verdade se não conseguia nem encontrá-la?

Pelo site, é claro. A competição idiota do Jason, "Por onde anda Boomer?", daria dicas suficientes para Koslow encontrá-la. Bem, talvez isso fosse uma coisa boa, pensou. A reputação de Jennifer estava em jogo. Se os clientes não a considerassem confiável, eles fugiriam como gatos assustados. O quanto antes Koslow descobrisse a verdade, mais rápido a *Tribuna* poderia publicar uma retratação pelo erro. Enquanto isso, ela pensou, precisava alertar Jennifer.

Stacy foi até a entrada e apanhou a bolsa, revirando em busca de seu celular. Se Koslow estivesse à sua procura, Jennifer precisava estar pronta para ele. O cara era um tubarão, e, se farejasse sangue na água, seria difícil sair inteira do encontro. Ela ligou o celular e procurou em seus contatos. Jennifer avisara que não ligasse a menos que fosse uma emergência, mas ela estava certa de que aquilo se encaixava bem na definição.

– Stace? – chamou Madison do alto das escadas. – Tem gente parada na frente da casa.

– Espere um segundo. Estou tentando fazer uma ligação.

– Não, é sério. Olhe.

Stacy olhou pela janela. Havia duas mulheres paradas na frente da casa de Jennifer, cada uma com algumas flores na mão, olhando hesitantes para a porta da frente.

— Elas só vieram deixar flores para o Boomer — ela disse. — Não se preocupe.

— Você tem certeza? Elas parecem bravas.

Ela olhou novamente e viu um homem passar. As mulheres o pararam e apontaram para a casa. Ele acenou com a cabeça e falou com elas brevemente, então seguiu andando pela rua. As mulheres ficaram ali paradas um pouco mais, sacudiram a cabeça e então seguiram andando, levando os buquês consigo. Stacy mordeu os lábios. Por que elas não deixaram as flores? Isso não tinha ligação com a coluna do Koslow, certo?

Madison desceu as escadas e se aproximou da porta da frente, com os olhos arregalados. Calçou os sapatos.

— É melhor eu ir — ela disse, apanhando a bolsa. — Achei que você estivesse no telefone.

Stacy olhou para seu celular, com o dedo pairando sobre o botão de ligar. O que ela diria a Jennifer sobre como Koslow pretendia encontrá-la? E se ela ficasse furiosa com *O último desejo de Boomer*? Se Stacy ligasse, ela provavelmente voltaria correndo para casa, e Stacy não poderia mais vir ali, e o senhor Compton iria querer que ela voltasse a entrar cedo no trabalho. Não haveria mais cafés da manhã na varanda ou taças de vinho ao pôr do sol.

Havia também os mantimentos que ela precisaria repor, e alguns deles eram bem caros. Jennifer não ficaria nada feliz ao descobrir que Stacy estava praticamente vivendo em sua casa nos últimos dias, comendo a sua comida e fingindo ser algo a mais do que a caseira. Ela provavelmente nunca mais teria sua confiança.

– Oi? – chamou Madison. – Terra para Stacy. Você vai ligar ou não?

Talvez ela devesse esperar um pouco, pensou. Não havia garantias de que Nathan Koslow encontraria mesmo Jennifer, e, se ele de fato a encontrasse, bem, Stacy lidaria com isso depois. Ela desligou o celular.

– Não era importante – disse, guardando o aparelho em sua bolsa. – Posso ligar depois.

CAPÍTULO 25

A tempestade tinha passado, mas o dano era visível por todo lado, e o departamento de meteorologia alertava que haveria mais chuva pela frente. As estradas estavam alagadas, algumas completamente, e o solo saturado e instável tornava mais arriscada ainda a viagem pelas montanhas. Ao chegarem perto da fronteira do Arizona, Jennifer estava grata por ter trazido Nathan. Saber que havia alguém para ajudar em caso de emergência era um grande alívio, ainda que as coisas entre eles não tivessem melhorado.

Ele não havia falado muito no café da manhã, mas ela não podia culpá-lo. A forma como tinha agido ao chegarem ao hotel fora rude e imatura. Ela passou a noite inquieta em seu quarto, brava com Nathan por causa do incidente na fábrica de brinquedos e consigo mesma por culpá-lo. Ela ficou brava até mesmo com Boomer por se empolgar e destruir tantos brinquedinhos barulhentos. Era vergonhoso vê-lo se comportar de forma tão selvagem. Ele era melhor do que isso.

Jennifer espiou Nathan sentado em silêncio no banco do passageiro e sentiu seu coração se aquecer. Ele se esforçara tanto para encontrar algo divertido para fazerem. Quem poderia prever que as coisas dariam tão errado em uma fábrica de brinquedos para cachorro, pelo amor de Deus? Era bobagem deixar a briga continuar, ela pensou. Se eles pretendiam ter um futuro juntos, haveria outras brigas, e ela não queria criar a rotina de deixar as coisas chegarem a esse ponto. Era melhor esclarecer tudo agora e seguir adiante.

— Sinto muito por ter sido dura com você sobre o que aconteceu na fábrica de brinquedos. Foi realmente uma boa ideia e eu sei que o Boomer aproveitou.

— Não, sou eu que devo pedir desculpas — disse Nathan. — Deixei tudo sair de controle.

Ela sorriu.

— Fui eu que implorei para você pensar em algo divertido para fazer. Além disso, não é sua culpa a lata ter virado. Se aquela garota estúpida não tivesse se pendurado na beirada, tudo teria ficado bem. Você viu ela tirando fotos do Boomer durante o incidente inteiro? Era como se estivesse achando graça.

Nathan fechou a cara.

— Não, eu não vi isso.

— Eu vi, e não foi a primeira vez que aconteceu. Lembra aquelas pessoas na feira com o menino que fez um escândalo com o nome do Boomer? Eles tiraram fotos também.

— E daí? As pessoas sempre tiram fotos das crianças.

Jennifer suspirou e analisou a estrada à sua frente. Ela sabia que não estava imaginando coisas. Desde que aquela recepcionista tirou uma foto deles em Carthage, as pessoas pareciam vigiá-los. Ela não esperava que Nathan necessariamente concordasse, mas pareceu que ele estava deliberadamente ignorando sua preocupação.

Dê um tempo a ele, pensou. *Você foi terrível na noite passada.*

— O jeito deles parecia estranho também — ela prosseguiu. — Era como se estivessem tentando esconder o que estavam fazendo.

Ele deu de ombros.

— Vai entender. Você nunca sabe o que as outras pessoas estão pensando.

— Acho que sim. E, de toda forma, eu não devia ter ficado tão brava com o que aconteceu na fábrica. Desculpe.

Nathan acenou com a cabeça e seguiu olhando pela janela. Eles ainda não tinham voltado ao normal, pensou Jennifer, mas pelo menos já estavam se falando de novo.

Eles pararam em Gallup na hora do almoço e comeram no drive-in da Rota 66, onde a comida lhes foi levada sem que precisassem descer da picape. Boomer cheirou seu hambúrguer e fez uma tentativa desanimada de comer, mas deixou mais da metade na embalagem. Jennifer o observava ansiosa.

— Ele ainda não me parece bem — ela disse. — Fico contente que hoje não seja um dia de diversão.

— Ei, eu *já pedi* desculpas — explodiu Nathan. — Podemos deixar isso de lado?

Ela se afastou.

— Eu não comentei para fazer você... — Ela mordeu os lábios. — Ah, esqueça.

Eles terminaram o almoço em silêncio e se revezaram no volante. Enquanto Nathan ajustava o banco e espelhos, Jennifer recolheu os restos do sanduíche de Boomer e sorrateiramente inspecionou suas gengivas. Elas pareciam um pouco pálidas, mas não azuis, e ela não estava disposta a pedir a opinião de Nathan sobre o assunto. Ela estava tentando não se chatear com ele, e era óbvio que o cara ainda estava incomodado com a noite anterior, mas era difícil ignorar que essa atitude seria prejudicial para um relacionamento mais duradouro. Ela precisava ter fé de que as coisas se ajeitariam, pensou. Nathan era diferente de Vic. Jennifer podia não conhecê-lo tão bem, mas disso ela sabia.

Nathan sentiu seus dentes rangerem enquanto dirigia pela estrada. Tudo o irritava: as placas, os outros carros, até o próprio asfalto. Por que o mundo precisava seguir em frente quando a sua própria vida fora virada de cabeça para baixo? Julia queria que ele descobrisse a verdade sobre Boomer o mais rápido possível, e ele ainda não fazia ideia de como faria isso. Ele poderia ser direto e perguntar, imaginou. Certamente seria a forma mais rápida se funcionasse, mas não havia garantias de que Jennifer lhe contaria a verdade. Se estivesse mentindo desde o começo, quais as chances de ela abandonar a farsa e confessar? Tentar enganá-la para descobrir tudo também não seria fácil. Quanto mais tempo as coisas continuassem assim, mais provável era que ela descobrisse o que estava acontecendo.

Quando Jennifer compartilhou o diagnóstico de Boomer, Nathan pensou que ela estava lhe confidenciando algo particular, e se sentiu honrado com a confiança. Agora ele não tinha mais certeza do que pensar. Estava claro que ela relutara em falar a respeito, mas seria porque era uma história dolorosa ou a revelação de Jennifer tinha a pretensão de afastar seu faro jornalístico de um escândalo? Quando contou, ela já sabia quem era Nathan. Talvez tenha pensado que, se ele tivesse pena da situação toda, seria mais improvável que investigasse a história.

Eu devia ter desconfiado.

Agora que ele fora alertado, no entanto, seus instintos começavam a aflorar. Subitamente, tudo que ela lhe dissera ganhava um tom sinistro. Quando disse que preferia os outros escritos dele em vez da coluna? Falsos elogios, uma forma de tirá-lo do rastro dela. E o comentário na outra noite, de que ele não sabia tudo sobre ela? Talvez aquilo dissesse algo importante, e ele estivesse cego demais para ver.

Era hora de voltar ao básico. A viagem de Jennifer era simplesmente para trazer mais clientes para a agência? Se Boomer não estivesse morrendo de verdade, por que fazer um apelo desses à pena do público? A porcentagem de seguidores de *O último desejo de Boomer* que se encaixava como público-alvo dos serviços de uma firma de relações públicas era minúscula. Certamente deveria haver formas melhores para a Compton/Sellwood aumentar seus lucros do que abusar da confiança das pessoas. Se Julia estivesse certa e fosse tudo uma farsa, o rebote quando tudo fosse enfim descoberto seria imenso.

Por outro lado, uma pessoa como Jennifer não poderia simplesmente largar tudo e sair em viagem pelo país sem um bom motivo. Ela tinha uma posição central na agência, e tê-la longe, mesmo que por um curto período de tempo, causaria sérias dificuldades para seus colegas e clientes. Ele pesquisou até mesmo sobre a doença de Boomer e descobriu que a descrição de Jennifer estava correta. Era improvável que ele sofresse daquilo, mas também não era impossível. O problema, percebeu Nathan, não era que a história dela fosse impossível, mas sim que ele queria que fosse verdade, e isso o deixava menos confiante quanto ao próprio julgamento. Se queria fazer seu trabalho direito, precisava examinar as evidências como alguém que vê a história pela primeira vez. Se não pudesse fazer isso, seria melhor ligar para Julia e pedir que desse a pauta para outra pessoa.

– Fico contente que você não esteja mais escrevendo sua coluna – disse Jennifer.

O comentário, assim inesperado, foi um golpe para ele. Ele estremeceu, virando o volante de forma brusca, ao ponto de derrapar brevemente antes de parar.

Jennifer segurou a maçaneta da porta.

– O que foi isso? O que aconteceu?

– Desculpe – ele disse. – Eu vi alguma coisa na estrada.

Ela se virou e olhou pelo vidro de trás.

– Tem certeza? Não estou vendo nada.

– Deve ter fugido – disse Nathan. – Não se preocupe.

Ela se aproximou e levou a mão ao seu ombro.

– Você está cansado? Quer que eu dirija?

– Não, estou bem. – Ele deu de ombros e Jennifer removeu a mão de lá. – Por que você disse aquilo?

– Disse o quê?

– Que você estava contente que eu não escrevesse mais minha coluna.

– Ah, eu só estava pensando que você deveria escrever um livro, alguma coisa sobre esta viagem. Você é um ótimo escritor, mas a sua coluna era sempre tão maldosa. Não parecia com você.

Ele resmungou.

– Escrever um livro? Você está brincando?

– Por que não? Você não gostaria?

– Claro. Eu e todo mundo no jornal.

– Mas você é bom, Nathan. Por que não usa o seu talento para algo de bom nível?

– Você quer dizer, usar os meus poderes para o bem ao invés do mal?

Ela suspirou.

– Não. Dê as pessoas algo alegre e inspirador para ler, em vez de deixá-las e, a você, cínicas e infelizes.

— Isso não estava na descrição do meu trabalho — ele disse. — Vou deixar a parte alegre e inspiradora para os santos.

Jennifer deu de ombros e se voltou para a janela.

— De toda forma — ela concluiu —, fico contente que você não seja quem eu achei que fosse quando lia sua coluna. Não acho que teria gostado muito de você.

Essa foi a última coisa que disseram um ao outro até chegarem ao hotel.

CAPÍTULO 26

Jennifer já estava preenchendo a ficha do hotel quando Nathan entrou com a bagagem. Quando a porta se fechou atrás dele, o cheiro amargo do ozônio tomou a pequena recepção. Ela torceu o nariz.

– O que é isso?

– Relâmpagos – respondeu a recepcionista, entregando a chave. – Por enquanto não voltou a chover, mas tem mais pela frente.

Eles ficariam em Holbrook naquela noite, a oeste do Parque Nacional da Floresta Petrificada. Jennifer estava decepcionada por não poderem parar para dar uma olhada, mas a única estrada que levava ao parque ainda estava parcialmente submersa, e, com a perspectiva de mais chuva pela frente, os patrulheiros aconselharam que evitassem a estrada. Isso, aliado ao silêncio entre ela e Nathan, fez com que as horas se arrastassem. Ela não se incomodava tanto por não ser um dia divertido, mas, sim, por ser exatamente o que Nathan previra: um dia chato.

Jennifer apanhou sua mala e olhou para Nathan. Quando ele entrou na recepção, ela estava cogitando sugerir que dividissem um quarto, mas ele levou tanto tempo para tirar as coisas do bagageiro que ela decidiu que seria melhor se continuassem com as coisas como estavam. O olhar dele encontrou o dela brevemente e se desviou, em um gesto que poderia significar qualquer coisa, de culpa a ressentimento, e Jennifer sentiu-se ligeiramente incomodada. Ele ainda estaria bravo por causa da noite anterior, ou tinha mais alguma coisa acontecendo? Ela desejava que pudessem aliviar o clima.

— Eu tenho trabalho para fazer — ele disse. — Provavelmente vou comer no meu quarto.

Nada de aliviar o clima.

— É, nós provavelmente vamos fazer o mesmo. Nos vemos pela manhã.

Jennifer levou Boomer pelo corredor para o quarto. Estava feliz por não ter convidado Nathan para se juntar a eles, ou já estaria arrependida. Se ele precisava desse tempo sozinho, era melhor que fizesse isso mesmo. Depois de um dia inteiro em silêncio ao seu lado, ela não estava exatamente morta de vontade de cair na cama com ele.

Ficar o dia inteiro fechado na picape também parecia ter afetado Boomer. Ele parecia mais rabugento do que de costume, e arranhava o chão impaciente com a demora de Jennifer em abrir a porta. Ele não tivera muitas oportunidades ao longo do dia para caminhar depois das pausas para o banheiro, e Jennifer não tinha dúvidas de que o cão também percebera a atmosfera tensa no carro. Quando ela enfim conseguiu abrir a porta, ele se arrastou pela soleira e caiu no chão, sem se preocupar em subir na cama.

Jennifer começou a tirar a roupa, mantendo sempre um olho em seu cachorro. Seria essa a reação normal dele a um longo dia na estrada ou algo mais preocupante? Ela queria poder perguntar a Nathan o que ele achava, mas ele deixara claro que não estava disposto a conversar. De toda forma, pensou, ele provavelmente diria que ela estava imaginando coisas. Ela apanhou o livro que estava lendo de sua bolsa e deitou na cama, reconfortada pelo som da respiração pesada de seu cachorro. Tinha sido apenas um dia puxado, disse a si mesma. Tudo ficaria bem.

As horas se passaram e um aperto no estômago acordou Jennifer. Ela abriu os olhos e olhou ao redor no quarto escuro, desorientada pelo ambiente desconhecido. Em algum momento Boomer devia ter acordado, pois estava deitado dormindo placidamente ao seu lado. Ela passou a mão gentilmente na lateral do cão e sentiu seu coração bater. Estaria mais rápido do que de costume? Não, o dr. Samuels dissera que ele ainda tinha um mês pela frente. Era provavelmente só sua imaginação hiperativa.

A dor em seu estômago aumentou, e ela ouviu um ronco barulhento. Jennifer olhou no relógio. *Não era de se estranhar*, ela pensou. Devia ter comido horas atrás. Ela entrou no banheiro e jogou água no rosto, desejando ter comprado um sanduíche antes de se recolher, pois não havia serviço de quarto naquele hotel, e ela detestaria deixar Boomer sozinho. Mas, pensando bem, olhando de volta para a cama, parecia que ele não iria acordar tão cedo. Provavelmente haveria tempo de sobra para ela sair, buscar o jantar e voltar antes de saírem para caminhar.

Apanhando sua bolsa e as chaves, abriu a porta e olhou no corredor. Havia uma luz acesa no quarto de Nathan. Será que ela deveria convidá-lo para jantar? Não. Ele disse que iria comer no quarto, o que significava que provavelmente já tinha saído e voltado. Devia estar trabalhando focado no próximo artigo para sua editora. Evitar que ele trabalhasse provavelmente não aliviaria o que quer que o estivesse incomodando.

O restaurante Tee-Pee e o bar Lizard ficavam a apenas uma quadra de distância, que poderia facilmente ser feita a pé, mas ela não queria arriscar uma tempestade na volta. Apesar do nome estranho, o lugar tinha sido altamente recomendado pelo gerente do hotel, e Jennifer estava com fome demais para reclamar. Afinal de contas, não era parte da viagem pela Rota 66 comer em lugares com nomes assim? Quando ela saiu da picape e se dirigiu para a porta de entrada, sentiu as primeiras gotas de chuva caírem em seu rosto.

Entrar no restaurante foi um choque. Ela imaginou que estaria silencioso naquela hora da noite, mas o lugar estava quase lotado. E a multidão era bastante barulhenta, dividida entre uma festa de aniversário com várias gerações, que ocupava a maior parte das mesas, e dois grupos de adolescentes rebeldes que dominavam as cabines. Ela estava prestes a sair para procurar um lugar mais tranquilo quando a recepcionista apareceu. Ao ver o olhar no rosto de Jennifer, ela apontou para a entrada do bar.

– Você pode pedir qualquer coisa do menu lá também. Provavelmente está mais silencioso.

– Obrigada – respondeu Jennifer – Vou fazer isso.

Ela entrou imediatamente na sala mais escura e fez seu pedido. Havia um palco à direita, não muito maior que sua picape, mas como era segunda-feira não havia música ao vivo, só a voz de Waylon Jennings no sistema de som, cantando sobre Luckenbach, Texas, e sobre "voltar às origens do amor". Enquanto esperava por sua cerveja light, Jennifer se perguntava se ela e Nathan voltariam a suas "origens". Parecia que eles estavam constantemente fazendo movimentos cruzados. Quando um se aproximava, o outro se retraía.

O garçom entregou-lhe a bebida no balcão e ela lhe deu uma nota de dez, dizendo que ficasse com o troco. Então começou a procurar uma mesa no ambiente. Seus olhos haviam acabado de se ajustar à baixa iluminação, e ela esperava encontrar um lugar no fundo. Já estivera em bares suficientes para saber que, quanto mais bêbado um homem ficava, maior a probabilidade de se aproximar dela, e não estava de bom humor para socializar. Ela tinha acabado de encontrar uma boa mesa, escondida do outro lado do cômodo, quando um homem sentado ao canto chamou sua atenção.

Nathan não conseguia lembrar quantos drinques já havia bebido desde que entrara no bar. O suficiente para sentir a necessidade de avisar a garçonete que não estava dirigindo, mas ainda não o bastante para acabar com o sentimento de culpa por ter concordado com a proposta de Julia. Ter sua coluna de volta era a resposta a suas preces, mas tê-la de volta ao custo de perder Jennifer Westbrook fazia daquilo um trato com o diabo. Ele dissera para si mesmo que era justo que ela fosse humilhada, que *O último desejo de Boomer* não era nada além de uma armação barata para ganhar visibilidade no mercado e tirar vantagem das pessoas brincando com a preocupação alheia, e que fazer todos se preocuparem com o destino de um cachorro doente simplesmente para provar a competência da agência em manipular a opinião pública era nojento. Mas e se...?

E se Julia estivesse errada? E se Boomer realmente estivesse morrendo e Nathan estivesse pondo em dúvida a dor sincera de Jennifer? Ele não era infalível, já estivera errado no passado sobre coisas que escrevera em sua coluna. Só não se importava muito. Afinal, para isso que serviam as retratações. Então, por que agora se preocupava? O que tinha de diferente naquela situação que fazia com que ele preferisse beber para esquecer em vez de encontrar a resposta para uma simples pergunta: Jennifer Westbrook era ou não uma mentirosa?

Ele viu alguém se aproximar e olhou para cima, forçando a vista na direção da imagem borrada de uma mulher alta de cabelos escuros com uma bebida nas mãos. Ele olhou de volta para o copo. Já era hora de pedir mais uma? Ele achava que não. Na última vez em que pedira uma bebida, a garçonete parecera bastante relutante em atendê-lo. Sua mente estava funcionando tão devagar que deu tempo de a mulher chegar ao seu lado na mesa antes que ele percebesse se tratar de Jennifer.

A boca dela estava contorcida em uma expressão pouco atraente que eliminava o contorno de seus lábios carnudos. Encará-la fez com que Nathan ficasse triste. Jennifer tinha lábios tão macios e quentes. Parecia uma pena desperdiçá-los assim. Ela iria ficar ali parada a noite inteira, olhando para ele daquele jeito? Ele retorceu os lábios também e soltou uma de suas provocações infantis prediletas.

— A sua mãe nunca te disse que, se fizesse careta, a sua cara ficaria assim para sempre?

Ela riu brevemente com o canto da boca, mas sua expressão se manteve inalterada. Jennifer se aproximou da cadeira diante dele.

— Se importa se eu me sentar?

— Faça as honras – disse ele, acenando com um gesto expansivo que quase derrubou sua própria bebida.

Ela sentou-se, apoiando a bebida na mesa.

— Achei que você tivesse que trabalhar.

— Eu tinha. E tenho – disse, erguendo o copo. – Estou fazendo uma pausa.

Jennifer olhou para o copo de uísque quase vazio em sua mão.

— Estou esperando o jantar. Incomoda se eu comer aqui?

— Claro que não — respondeu Nathan com um sorriso expansivo. — Eu talvez peça alguma coisa também.

Ela olhou intensamente para ele.

— Você não comeu nada? Há quanto tempo está aqui?

Ele estremeceu. Havia quanto tempo estava ali? Ele lembrava que saíra do hotel logo depois de chegarem, e agora eram... Nathan olhou para seu relógio e viu os ponteiros girarem, algo que achou inexplicavelmente divertido. Então começou a rir.

— Você está bêbado — ela disse.

O tom da voz de Jennifer estragou o clima, e Nathan franziu o cenho.

— E o que você está fazendo aqui? Pensei que o Boomer não pudesse ficar sozinho.

— Ele estava dormindo desde que chegamos ao quarto — ela respondeu. — Achei que poderia arriscar.

Os olhos dele se estreitaram. *Talvez ela estivesse dizendo a verdade*, pensou Nathan. *Ou talvez ela tenha imaginado que eu não estaria aqui para pegá-la no flagra.*

— Muito conveniente — ele disse.

Jennifer bateu o copo com força suficiente para derramar um pouco de cerveja na mesa.

— O que você quer dizer com isso?

O coração de Nathan estava acelerado. Era isso, ele pensou. A oportunidade perfeita. Ele estava cansado de desviar do assunto, ficar procurando alguma forma de pegá-la no flagra, ou inventar alguma estratégia para fazê-la contar a verdade para enfim dar a Julia o que ela queria e recuperar a vida que amava, mas não tinha certeza se ainda queria. Por que a demora?

Vá em frente. Pergunte.

Um prato surgiu entre eles, e um hambúrguer com queijo e batatas fritas foi colocado na mesa.

– Queijo cheddar, porção média, pouca maionese – disse a garçonete ao entregar o pedido. – Tem ketchup no balcão.

Jennifer pagou a conta e cortou o sanduíche no meio.

– Aqui – falou ela empurrando metade do hambúrguer para ele. – Coma isso. Vai se sentir melhor.

A enxurrada de adrenalina que abastecera sua coragem se fora, e Nathan se sentiu fraco e desorientado. Incapaz de lembrar o que ia dizer e muito desnorteado para recusar, ele mordeu o sanduíche e começou a mastigar. Não fazia ideia de que estava com tanta fome. Aquele hambúrguer estava delicioso.

Jennifer lançou a ele um sorriso preocupado.

– Parecia que você ia dizer alguma coisa.

Ele engoliu.

– Eu ia.

– Que bom – ela respondeu. – Acho que precisamos conversar.

Nathan concordou, lembrando-se de que era um jornalista, e tentou recuperar a postura impessoal que usara ao longo dos anos para conduzir entrevistas com famosos e desconhecidos. Isso não tinha relação com seus sentimentos por Jennifer Westbrook, disse para si mesmo. Ele tinha um trabalho para fazer, e era bom naquilo. Não era pessoal; só negócios. Mas, quando abriu a boca, Jennifer ergueu um dedo para interrompê-lo.

– Só um segundo.

Ela pegou o telefone no bolso de trás e arregalou os olhos quando viu o número.

– É a minha mãe – ela disse. – Desculpe, preciso atender.

Enquanto ela se afastava, Nathan sentiu uma estranha mistura de frustração e alívio.

CAPÍTULO 27

As mãos de Jennifer tremiam quando atendeu o telefone. Já fazia dois anos desde que instalara sua mãe em um lar de cuidados em tempo integral. Dois anos de preocupação e culpa, de fortes ataques e ligações noturnas de uma mulher cuja mente funcionava de forma deturpada pelos demônios gêmeos da depressão e da demência. Só nos últimos meses as coisas começaram a melhorar, e isso era devido apenas ao fato de que a mãe raramente se lembrava de que tinha uma filha. Qualquer que fosse a razão dessa ligação, pensou Jennifer, não poderia ser boa.

– Jenny, é você?

Sua mãe parecia assustada e ofegante, como se tivesse sido compelida a ligar por seus próprios demônios.

– Sim, mãe, sou eu. Tem algo de errado? Você está bem?

– Me prometa que você está bem, querida. Fiquei tão preocupada.

Essa era a maldição da maternidade, pensou Jennifer. Mesmo sem lembrar muito sobre sua única filha, Ida Westbrook sabia que precisava se preocupar com ela.

– Sim, estou bem. Prometo.

– Graças a Deus. Senti tanto medo… medo por você.

Essa preocupação com o bem-estar da filha era nova, e por um momento Jennifer se permitiu pensar que era um bom sinal, uma esperança de que a medicação estivesse finalmente começando a fazer efeito. Então ela se lembrou de que isso já acontecera antes sem nenhuma melhora efetiva. Como um amputado que sente uma dor fantasma, sua mãe estava simplesmente respondendo a uma necessidade que não existia mais. "Jenny" já havia crescido e saído de casa anos atrás.

– Está tudo bem – ela disse, fazendo o melhor possível para parecer tranquilizadora. – Não tem do que ter medo.

– Mas ele está tentando te machucar. Eu as ouvi falando, todo mundo falou. Até a Vera.

Jennifer estremeceu. Por que a enfermeira particular de sua mãe estaria falando sobre ela?

– Ninguém está tentando me machucar, mãe. Boomer e eu estamos de férias, lembra?

Antes que sua mãe pudesse responder, Jennifer ouviu a voz de Vera ao fundo. A pobre mulher estava provavelmente se perguntando como sua paciente tinha conseguido pegar o telefone. O som dos protestos de sua mãe se esvaneceram quando o telefone foi tomado dela, e a voz autoritária de Vera Brown ecoou nas orelhas de Jennifer.

– Sinto muito, srta. Westbrook. Eu só fui ao banheiro, e quando voltei ela já estava falando com você no telefone.

– Está tudo bem, Vera? Minha mãe parece achar que estou com problemas.

– Está sim. Tudo bem. Sua mãe só ficou um pouco agitada quando soube da história que saiu no jornal.

Jennifer respirou aliviada. Conforme a demência avançava, a mãe tinha dificuldades em separar o que acontecia na própria vida das coisas que lia no noticiário. Considerando a situação do mundo, não era de se espantar que a pobre senhora se alarmasse com alguma coisa.

– É claro, você sabe – prosseguiu Vera. – Houve muitos burburinhos por aqui desde que aquela história foi publicada. Eu não me surpreenderia se tivesse sido isso que a agitou.

– Sinto muito, Vera, estou confusa. Do que você está falando?

– Ah, só aquela coluna besta da *Tribuna*. Não se preocupe. Qualquer um que te conheça sabe que não é verdade.

Jennifer olhou para o telefone e se perguntou se Vera também estaria um pouco fora da realidade.

– É claro, nós todos estamos acompanhando *O último desejo de Boomer* – continuou a mulher. – Então, quando aquele cara disse que você estava mentindo sobre o cachorro, bem, todo mundo aqui ficou bravo. Sem dúvidas foi por isso que sua mãe ligou.

A mente de Jennifer estava acelerada, tentando dar sentido às coisas que ouviu. *Alguém estava tentando machucá-la... havia uma história... uma coluna na* Tribuna... *um repórter que disse que ela estava mentindo...* Ela sacudiu a cabeça. Por que a *Tribuna* estaria interessada no Boomer? Ela nem conhecia ninguém que trabalhasse lá. Exceto...

Ela deu um passo para trás e olhou para o bar escuro. Nathan estava reclinado sobre a mesa, terminando de comer o hambúrguer que lhe dera. Jennifer ainda não fazia ideia do que estava acontecendo, mas tinha a sensação de que sabia a qual repórter Vera se referia, e, a menos que ela estivesse muito enganada, ele sabia exatamente o que estava acontecendo.

– Aposto que você está certa – ela disse. – Obrigada, Vera. Te ligo pela manhã para saber da mamãe.

Nathan estava raspando a última batata frita quando Jennifer voltou para a mesa. Ele olhou para o alto com um sorriso dócil.

— Tudo bem?

— Tudo bem — ela disse. — Vamos lá, te dou uma carona.

Ele sacudiu a cabeça.

— Eu vou caminhando.

— Não vai, não. Você está bêbado e está chovendo torrencialmente. Vamos logo.

Nenhum deles disse uma palavra no caminho de volta ao hotel.

A chuva batia no para-brisas e o movimento estável dos limpadores parecia o inexorável tique-taque de uma bomba relógio. Jennifer manteve as mãos agarradas ao volante, em uma tentativa de conter a raiva crescente dentro dela em vez de explodir. Ela ainda estava no escuro sobre o que estava acontecendo, mas no fim das contas tudo se resumia ao seguinte: Nathan mentira para ela e sobre ela. Seus motivos não eram relevantes.

Ela parou no estacionamento e desligou o motor. Nathan estava olhando pelo para-brisas e agia como se nada estivesse errado. Seu coração doía de pensar no quanto se importava com ele e no quão difícil seria reconstruir a muralha que construíra tão cuidadosamente para evitar esse tipo de ferimento. Então pensou no quanto Boomer ficaria magoado quando o homem que ele adorava os deixasse, e sentiu-se tomada pela raiva.

Maldição, Nathan Koslow. Como pôde?

— Minha mãe estava bem chateada — ela disse. — Aparentemente, um colunista da *Tribuna* me acusou de mentir. Você sabe alguma coisa sobre isso?

Ele hesitou por um instante antes de se virar para ela.

— O que você quer saber?

– Para início de conversa, por que você está escrevendo a meu respeito?

– Eu recebi uma dica da minha editora que a história do Boomer poderia render um artigo interessante.

É claro, ela pensou. É claro.

– Devo admitir, estou surpresa. Mas talvez não devesse estar. Afinal, quais as chances de nos encontrarmos tantas vezes na estrada? Eu devia estar louca para acreditar que foi tudo coincidência.

O rosto dele ficou vermelho.

– Ok, em primeiro lugar, o Boomer correu na minha direção no autódromo, e eu lembro que você se aproximou de mim no posto de gasolina, então não faça parecer que eu fiz o primeiro movimento. E, quando nos encontramos na ponte, foi você quem disse "Que droga, não consigo encontrar nada para fazer com o meu cachorro". Eu só estava tentando ajudar.

– Me usando.

– Eu usando *você*? Que tal o contrário?

– Do que você está falando?

Ele sacudiu a cabeça.

– Por Deus, você é boa nisso. Eu deveria saber que você iria se fechar quando o plano fosse revelado.

Ela o encarou ainda sem entender nada. Primeiro sua mãe liga dizendo que ela está em perigo, depois Vera fala que tem alguém escrevendo sobre ela no jornal, aí Nathan diz que é tudo parte de um plano que ela mesma construiu. Ela se sentia em uma casa de espelhos. Será que todo mundo tinha enlouquecido?

– Que plano? Que revelação? Você não está fazendo sentido algum.

Nathan se aproximou. Jennifer podia sentir o álcool em seu hálito.

— Por que você acha que o Boomer foi escolhido como juiz da apresentação de cães? Ou ganhou o passeio especial na fábrica de brinquedos? Quer dizer, você não achou que a gente iria entrar naquela churrascaria se o dono não quisesse recepcionar o famoso Boomer em seu restaurante, não é mesmo?

Jennifer estava sem palavras. O *famoso* Boomer?

— O quê? Eu realmente não sei do que você está falando.

Seu olhar era de pena.

— Por favor, não finja que não sabe que você e o seu cachorro estão por toda a internet... A última vez que verifiquei, havia centenas de fotos de vocês dois n'*O último desejo de Boomer*. Já tem milhões de seguidores. — Ele sacudiu a cabeça. — Devo admitir que pareceu bastante grosseiro usar a doença do seu cachorro para gerar negócios para a Compton/Sellwood, mas parece que eu também saí ganhando com isso.

Subitamente, as coisas que pareciam estranhas para Jennifer na semana anterior começaram a fazer sentido: a recepcionista que queria tirar uma foto deles no hotel; o garoto na feira; as pessoas no Celeiro Redondo que queriam tirar uma foto do Boomer. Como aqueles estranhos saberiam alguma coisa sobre ela e o Boomer? Como eles sabiam da sua aparência? Ninguém sabia onde eles estavam. A menos que...

Stacy!

Stacy, sua maior fã, a garota que só queria algumas fotos para saber onde Jennifer e Boomer estavam durante a viagem. Teria ela construído o site por conta própria ou Derek Compton a convencera a repassar as fotos? Provavelmente a segunda opção, pensou. Por mais que gostasse da assistente, a pobre moça não tinha a ambição nem o talento para criar um site que atraísse centenas de milhares de seguidores.

Ela olhou para Nathan.

— Então, em vez de vir diretamente me perguntar o que estava acontecendo, você fez uma acusação pública.

Nathan olhou para o chão, com o rosto vermelho. Pelo menos ele tinha a decência de parecer envergonhado, ela pensou.

— Se vale alguma coisa, eu não quis ferir você.

— É claro que quis — ela retrucou. — Assim como você quer ferir todas as mulheres na sua vida, para se vingar da sua querida mãe.

— O quê?

— "Acho que ainda guardo ressentimentos" — ela disse, caçoando de suas palavras. — "Nunca perdoei mamãe por se livrar do meu cachorro."

Nathan mordeu os lábios.

— Você está louca.

— Estou? Por qual outro motivo você iria me ridicularizar em público?

— A Julia disse que me daria a coluna de volta se eu expusesse você e o Boomer. Achei que você mentiria se eu perguntasse objetivamente.

— Por favor, pare com isso. Não é sobre o que a sua editora quer, é sobre provar que qualquer mulher que você ame não merece confiança.

— Você está errada. Eu só estava fazendo o meu trabalho. Julia disse que havia rumores de que o Boomer não estava doente de verdade, e era meu dever checar a história.

— Não, Nate. Quando você perdeu o Dobry, você decidiu mostrar ao mundo que não precisava de ninguém, e para provar isso usou seu único talento especial, que é ferir as pessoas. Você não suportou a ideia de que o Boomer estivesse realmente doente, porque isso significaria que eu tenho a chance de me despedir, algo que *você* nunca teve. – Ela levou a mão trêmula à boca. – Quando você disse que eu não devia entediá-lo, eu te ouvi. Estou cansando o meu cachorro quando devia tê-lo levado de volta para casa para passar seus últimos dias com todas as coisas que ele ama.

– Isso é algo terrível de se dizer.

– É mesmo? Você deve saber, já que é o mestre em dizer coisas terríveis.

Jennifer apontou para a porta.

– Saia – ela disse. – Vamos descobrir como te mandar para Los Angeles de manhã. Presumindo, é claro, que é para lá mesmo que você esteja indo.

Nathan levou a mão à porta e contemplou a chuva do lado de fora.

– Tem uma estação de ônibus a algumas quadras daqui. Tenho certeza de que encontro o caminho.

Jennifer assistiu impassível ele fechar o zíper de sua jaqueta e abrir a porta. Haveria tempo para chorar depois. Naquele momento, tudo que ela queria era Nathan Koslow fora da sua vista.

CAPÍTULO 28

Não havia buquês de flores ou bichos de pelúcia na porta da casa de Jennifer naquela manhã, nem mesmo cartas de apoio enterradas em sua caixa de correio. Agora que a coluna de Nathan Koslow havia lançado dúvidas sobre a veracidade da doença de Boomer, a única coisa que Stacy recebia quando vinha até a casa era o olhar torto dos vizinhos. Decidiu parar de tomar café da manhã na varanda e ir direto para o trabalho.

O clima no escritório estava pesado. O senhor Sellwood estava em sua mesa, enraivecido silenciosamente, e os clientes chegavam e partiam como em uma agência funerária. Derek Compton estava reunido com Jason a portas fechadas, sem dúvida trabalhando em um plano de contenção de danos. Todos sabiam que o súbito interesse dos clientes na agência despertado por *O último desejo de Boomer* poderia tomar um caminho tenebroso se algo não fosse feito em breve. Stacy passara uma hora na noite anterior tentando contato com o veterinário de Boomer, a fim de convencê-lo a fazer uma declaração sobre a condição do animal, mas, sem a liberação de Jennifer, não havia nada que ele pudesse fazer. Quando a reunião acabasse, ela não tinha dúvidas de que o chefe ordenaria que ela entrasse em contato com Jennifer para pedir que ela ligasse para o veterinário. Stacy só queria saber como daria essa notícia.

Pensar no que aconteceria depois era algo que fazia seu estômago revirar. O que Jennifer faria quando ficasse sabendo de *O último desejo de Boomer*? Ela veria, tal como Stacy, uma linda homenagem ao seu cachorro, ou apenas uma forma da Compton/Sellwood lucrar com sua agonia particular? De toda forma, era Stacy quem Jennifer culparia. Sem as fotos que ela compartilhara, o site nunca teria sido criado. Qualquer resquício de boa relação entre elas seria perdido.

O telefone tocou e Stacy trouxe seus pensamentos de volta ao presente. Pelo menos por agora ela ainda tinha trabalho a fazer, e se preocupar com o que poderia ou não acontecer no futuro não ajudaria em nada. Ela ajustou o fone de ouvido, pôs um sorriso no rosto e atendeu a ligação.

— Compton/Sellwood, aqui é a Stacy. Como posso direcionar sua chamada?

A voz de Jennifer a atingiu como um tapa na cara.

— Stacy, aqui é a Jennifer. O que raios está acontecendo aí?

Lágrimas surgiram nos olhos de Stacy. Ela pensou que conseguiria enfrentar o que quer que acontecesse, mas a ira gélida do outro lado do telefone era pior do que jamais imaginara.

A porta do escritório de Derek Compton se abriu e Jason saiu, lançando a ela um olhar questionador. Ela apontou para o telefone e murmurou a palavra "Jennifer". Ele acenou com a cabeça e eles entraram na sala, fechando a porta.

— Olá? Stacy, você está aí?

Stacy engoliu o caroço em sua garganta, lutando para manter a voz sob controle.

— Espere um momento na linha para falar com o senhor Compton. — Ela levou a mão ao telefone para transferir a chamada e fez uma breve pausa. — Sinto muito — ela disse, e apertou o botão.

Os três — Stacy, Jason e Derek Compton — estavam ao redor do autofalante no escritório do presidente. Assim que Stacy transferiu a ligação, Jason voltou e disse que o chefe insistia que ela participasse da conversa. A voz de Jennifer soava calma, quase fria, enquanto despejava sua frustração, muito diferente da tradicional animação que fazia dela uma colega inspiradora. Stacy queria se enfiar embaixo da mesa.

— Eu quero isso fora do ar, Derek, agora. Você não tinha o direito de usar aquelas fotos.

Jason sacudiu a cabeça e olhou suplicante para Compton. Dentre os três, ele era quem mais tinha a perder se *O último desejo de Boomer* saísse do ar. A aceitação positiva do site havia sido um trunfo para sua equipe de mídias sociais. Se isso acabasse em humilhação para a agência, não havia dúvida de que cabeças rolariam, e a primeira seria a dele.

Derek Compton resmungou, se esquivando da preocupação do funcionário. Pela forma como a conversa se desenrolava, Stacy podia perceber que o chefe já havia tomado sua decisão. Jason era dispensável. Jennifer Westbrook não.

— É claro, Jen, com certeza — ele disse. — Entendo perfeitamente de onde vem sua preocupação, a coluna também foi um choque para todos nós. Mas, acredite, o site foi criado na melhor das intenções. Você não acha que deveria dar pelo menos uma olhada antes de desativarmos de vez?

— Você não acha honestamente que eu vou mudar de ideia, não é? Derek, Nathan Koslow me acusou de perpetrar uma farsa, a minha reputação está em jogo.

— E eu já exigi um pedido de desculpas à editora. Assim que o seu veterinário ligar e confirmar o diagnóstico do Boomer, a *Tribuna* vai publicar uma retratação.

— Que quase ninguém vai ver. E mesmo quem ler vai suspeitar que algo estranho está acontecendo. Droga, você sabe como essas coisas funcionam!

Quando a face de Derek Compton escureceu, Stacy recuou, lembrando-se da disputa de berros que ele teve com Jennifer quando ela avisou que tiraria um mês de férias. Ela fechou os olhos e rezou para que os dois se acalmassem antes de dizer algo que não pudesse ser retirado.

— Acho que você está sendo injusta – ele disse, com a voz perfeitamente controlada. — Não havia como nenhum de nós saber o que o Koslow estava planejando, e, apesar do que você pensa, não era simplesmente algo para atrair negócios. A história de Boomer tocou muita gente, e, francamente, eu não considero justo deixá-los sem saber o desfecho.

— E de quem é a culpa disso?

Houve uma longa pausa enquanto todos consideravam suas opções. Jason balançou a cabeça, murmurando as palavras "De jeito nenhum", mas Compton ergueu a mão para impedi-lo.

— Tudo bem – disse o chefe. — Farei com que seja tirado do ar ainda hoje.

Com isso, Jason deu as costas e saiu batendo os pés do escritório. Stacy o viu partir, e seu alívio se misturou com desconforto. Se algumas cabeças rolassem por isso, havia chances de que a sua própria fosse uma delas. E onde ela encontraria outro emprego com a economia atual?

Jennifer ainda estava na linha. Derek Compton estava sentado atrás de sua mesa, segurando uma caneta, com olhar pesaroso para o autofalante.

— Se você puder ligar para o dr. Samuels e pedir que libere os registros médicos do Boomer, vamos fazer aquela retratação ser publicada.

— Eu resolvo isso. Mais alguma coisa?

— Estou pensando em colocar um anúncio de uma página inteira na *Tribuna*, contando a verdade às pessoas sobre a doença do Boomer. Pode não satisfazer a todos, mas pelo menos nossos clientes verão. Ninguém vai duvidar da sua honestidade.

— Obrigada. Eu agradeço. Precisa de mais alguma coisa de mim?

Compton suspirou e massageou as têmporas. Ele olhou para Stacy e sacudiu a cabeça.

— Não, acho que isso é tudo.

— Bom — disse Jennifer. — Então me faça um favor e transfira esta ligação para a mesa da recepção. Tem algumas coisas que preciso dizer para a Stacy.

Os olhos de Stacy se arregalaram. Ela sacudiu a cabeça, implorando silenciosamente para que ele recusasse. No entanto, Compton deu a ela um olhar ameaçador e apontou na direção da porta.

— Espere um minuto — ele disse a Jennifer. — Vou transferir a ligação.

Stacy sentiu-se enjoada ao voltar para sua mesa. Não havia nada que pudesse dizer para melhorar as coisas, apenas se desculpar pelo acontecido. Por mais tentador que fosse culpar os dois, não seria justo. O fato era que a ideia original do memorial de Boomer fora dela, e, não fosse sua incompetência, ela seria a única em apuros agora. Era melhor enfrentar os fatos e seguir adiante. Então ela endireitou a postura e atendeu o telefone.

– Você quer me contar como isso aconteceu?

A voz friamente controlada de Jennifer havia se transformado em uma súplica raivosa. Stacy sentiu o queixo estremecer.

– Foi minha culpa – ela disse, sem tanta certeza de como exatamente tudo havia começado. – Eu achei que seria bacana fazer um site de memorial, particular, só para você, mas não sabia como, e acho que estava assistindo ao GIF do Boomer comendo aquele café da manhã quando o senhor Compton passou e perguntou o que eu estava vendo, e eu acabei mostrando para ele, e... – Sua voz descarrilhou e ela camuflou o soluço.

– Foi por isso que você me pediu para mandar as fotos? Era esse o plano o tempo inteiro?

– Não – respondeu Stacy, sacudindo a cabeça. – Não foi isso, de jeito nenhum. Não era mentira minha. Eu estava mesmo preocupada com a sua segurança.

– Eu acredito em você – disse Jennifer fracamente. – Só não sei o que fazer agora. As coisas por aqui ficaram... complicadas.

– Por causa daquele repórter?

– Sim.

– Mas o senhor Compton vai cuidar disso. Assim que o veterinário falar para a editora que o Boomer está doente de verdade, eles vão publicar uma retratação.

O suspiro de Jennifer era doloroso de se ouvir. Stacy fechou os olhos, desejando que pudesse voltar o relógio para que nada disso tivesse acontecido.

– Por que você não dá uma olhada no site? – ela disse. – O senhor Compton está certo. Você pode acabar gostando.

– Não – disse Jennifer, explosiva. – Já desperdicei muito tempo da vida do Boomer "conectada". Prometi que passaria esse tempo com ele, é e isso que vou fazer.

— Eu sei. Só pensei que, se você visse o bom trabalho que eles fizeram, talvez...

— O quê? Tudo seria perdoado?

As lágrimas encheram os olhos de Stacy. Era inútil tentar consertar as coisas. O melhor a fazer agora era se desculpar de novo e deixar que Jennifer decidisse o que aconteceria com a relação delas. Ambas sabiam que Stacy estava errada. Só o tempo diria se o que ela fizera poderia ser perdoado. Ela secou as lágrimas.

— Você sabe quando vai voltar?

— Não faço ideia — disse Jennifer vagamente. — Tudo depende de quando meu cachorro morrer.

Jennifer soltou o telefone e atravessou o quarto de hotel, resmungando enquanto fazia as malas. Ela não sabia o que esperar da ligação, mas certamente não era aquilo. Derek Compton agiu como se ele e Jason tivessem feito um favor a ela, e não exposto sua dor à ridicularização pública. Será que ele fazia ideia do que ela tinha passado na última semana e meia, acordando com suor frio para checar seu cachorro, apavorada que cada dia de Boomer pudesse ser o último? Ter seu próprio chefe tirando vantagem da perspectiva da morte de Boomer doía quase tanto quanto o que Nathan havia feito.

Ela ouviu um gemido e avistou Boomer encolhido em um canto. Jennifer tinha a vaga lembrança de ter visto seu cachorro fugir da cama quando ela e Derek Compton começaram a discutir. Sem dúvida ele percebera a tensão em sua voz e a linguagem corporal, apesar de ela se vangloriar de seu admirável autocontrole. Ela soltou a camiseta que estava dobrando e estendeu a mão.

— Está tudo bem, Boomie. Ninguém está bravo com você. Tudo bem.

Boomer ficou de pé, hesitante, com a cabeça baixa e a cauda enrolada no quadril, e Jennifer sentiu uma pontada de culpa. Entre a fúria com Nathan na noite anterior e a ira silenciosa daquela manhã, o pobre cachorro devia ter pensado que tinha feito algo de errado.

– Desculpe – ela murmurou. – Não quis te assustar.

A cauda de Boomer se ergueu e ele se aproximou, e o seu alívio era evidente na felicidade trêmula de seu corpo. Seu ritmo se acelerou, e ele já esticava o pescoço, pronto para ser confortado em carícias. Então, ele tombou para a frente e caiu aos pés dela. Jennifer gritou.

CAPÍTULO 29

A viagem ao hospital de animais pareceu um borrão. Após sua primeira reação de horror, Jennifer ficou aliviada ao perceber que Boomer, apesar de inconsciente, ainda estava vivo. Seus gritos, no entanto, trouxeram um benefício não intencional, pois dois homens fortes apareceram na porta de seu quarto para lhe oferecer ajuda. Enquanto eles colocavam Boomer gentilmente na traseira da picape, o gerente auxiliar ligou para um serviço de emergência veterinária, avisou que havia um paciente a caminho e os levou até lá. Jennifer sentou no banco de trás, acariciando a cabeça de Boomer e sussurrando palavras de conforto. Quando Boomer chegou ao veterinário, ela forçou uma nota de vinte dólares na mão relutante do gerente e pagou um táxi para levá-lo de volta ao hotel, depois de um sincero agradecimento. Agora só lhe restava esperar.

A sala de espera era apertada, do tamanho e formato de uma cozinha de navio, com duas fileiras duplas de cadeiras, uma de frente para a outra, e uma estreita mesa de centro entre elas. Havia algumas cópias antigas da revista *Cão Chique* e folhetos de remédios para vermes à disposição para leitura. Jennifer apanhou uma das revistas, a folheou por alguns minutos e a devolveu no lugar sem fazer ideia do que acabara de ler. Seus pensamentos estavam muito difusos e suas emoções, muito cruas para entender o que estava acontecendo. Primeiro Nathan e agora Boomer. Tentar imaginar um futuro sem nenhum dos dois era como encarar um poço sem fundo.

Ela se mexeu na cadeira, em uma tentativa de ignorar os olhares furtivos vindos da mesa da recepcionista. A mulher estava em vigilância clandestina desde que Jennifer e Boomer chegaram, e aquilo estava se tornando cada vez mais desconfortável. O que quer que estivesse se passando pela cabeça daquela mulher, ela preferiria ouvir diretamente a ficar sentada ali imaginando o pior. Ela se encaminhou para a janela da recepção e encontrou a mulher envolvida em uma conversa de sussurros com uma das veterinárias assistentes.

– Com licença – disse Jennifer. – Sem querer ser rude, mas nós nos conhecemos?

A mulher sacudiu a cabeça com os olhos arregalados.

– Não, senhora – respondeu a recepcionista. – Mas nós conhecemos você.

– Nós adoramos *O último desejo de Boomer* – soltou a assistente. – E nossos pacientes também.

Jennifer tentou pensar em uma resposta. Já não era duro o bastante ter uma situação de vida ou morte nas mãos? Ela realmente precisava ter que lidar com mais curiosos daquele site estúpido? Lá estavam eles, sentados cochichando, como um par de abutres esperando o Boomer morrer. Ela esperava mais de pessoas assim.

Não, ela pensou, isso também não era justo. Ela não tinha o direito de julgar aquelas mulheres. Afinal, elas não eram as únicas envolvidas no frenesi causado pela empreitada de sua agência. Forçou um sorriso.

– Que bom que vocês estão gostando. Para ser sincera, eu mesma nunca vi.

As duas a encararam.

– Nunca? – questionou a assistente.

– Não.

– Você quer ver? – perguntou a que estava na mesa. – Posso te mostrar no meu computador.

Jennifer hesitou. Ela precisava admitir que estava curiosa. Tinha ficado tentada a ver o site em seu iPhone, mas acabou se recusando por teimosia. Não estava disposta a ceder um centímetro de terreno para Derek Compton. No entanto, já que o Boomer estava a portas fechadas e não havia mais nada a fazer além de esperar, ela achou que valeria a pena dar uma espiada.

– Claro – disse ela. – Por que não?

As duas mulheres olhavam por cima do seu ombro quando Jennifer começou a passear pelo site. Ela estava sem fala. Completos estranhos haviam mandado centenas de fotos e vídeos dela e de Boomer em apenas alguns dias! Lá estava ele no hotel, na Baleia Azul, no Celeiro Redondo – Jennifer rangeu os dentes – julgando a apresentação de cães na feira. Só da churrascaria havia um monte de imagens: um garçom amarrando seu babador; Boomer comendo a manteiga de um pãozinho e devorando o filé. Ela riu. Tinha até uma do Boomer torcendo o nariz para o espumante. Não era de se estranhar que eles tivessem tantos garçons naquela noite. Cada um deles deveria estar atrás de um prêmio na gincana "Por onde anda Boomer?".

Conforme prosseguiu navegando na página, Jennifer começou a perceber um padrão. As fotos em que Boomer parecia mais feliz eram aquelas em que ela e Nathan estavam com ele. Ela sentiu um nó na garganta e engoliu, tentando não pensar no quão difícil seria para Boomer prosseguir sem Nathan por perto. Seu coração, já enfraquecido, ficaria partido. Ela quase ficou contente por ele não precisar sofrer por muito tempo.

A recepcionista apontou para a tela.

– Você viu os comentários? Alguns são muito emocionantes.

Jennifer desceu para a seção de comentários e começou a ler:

"... obrigada por me deixar compartilhar a história do Oscar..."

"Puggles era o meu melhor amigo..."

"Rusty nunca saiu do lado de minha mãe..."

Ela se encostou na cadeira. Então, *O último desejo de Boomer* não era o espetáculo grotesco que ela estava esperando. Longe de ridicularizar sua agonia pessoal, o site se tornara uma celebração, não só da vida de Boomer, mas da vida de muitos outros cães, cujos donos finalmente tinham encontrado uma forma de expressar as alegrias que seus animais lhes trouxeram. Sua própria incapacidade de cogitar que seus colegas tivessem boas intenções a fez se sentir diminuída. Derek Compton estava certo. As pessoas que acompanhavam *O último desejo de Boomer* mereciam vê-lo até o fim.

– Você me dá licença por um segundo? Preciso dar um telefonema.

Derek Compton parecia preocupado, o que não era surpresa, considerando o tom da última conversa que tiveram.

– Você tem certeza?

– Absoluta – respondeu Jennifer.

Ela estava sentada na picape, admirando a paisagem da chuva que acabara de findar. A tempestade que passara podia ter inundado algumas ruas, mas também tinha lavado a sujeira e poeira acumuladas ao longo de um verão quente. O reflexo do sol no asfalto molhado era estonteante.

— Diga a Stacy que está tudo perdoado, por favor. O site foi uma boa ideia. Sinto muito por não ter percebido isso antes.

Ela desligou e respirou fundo, se preparando para a próxima ligação. Ela devia desculpas a Nathan. Mesmo que ele tivesse sugerido que *O último desejo de Boomer* fosse um golpe publicitário, ainda não era pior do que ela própria suspeitara quando soube do site. Depois de tudo que ele havia feito pelos dois, ela se sentiu mal por tê-lo mandado embora daquela forma. Ela apreciava a sua companhia na estrada, e fora bom para Boomer tê-lo por perto. O que quer que acontecesse agora, ela saberia que seu cachorro tivera dias divertidos na viagem, não só dias chatos. Ela discou o número de Nathan e prendeu a respiração, esperando que ele atendesse.

Houve uma breve batida em sua janela. A recepcionista a esperava do lado de fora. Jennifer desligou o telefone; poderia ligar depois. Quando ela abriu a porta, a mulher lhe deu um sorriso forçado.

— Você pode entrar agora. O Boomer gostaria de te ver.

A dra. Padilla era uma mulher baixa com cabelos grisalhos na altura do queixo e olhos castanhos marcantes que se destacavam em seu rosto arredondado suave. Quando Jennifer entrou na sala de exames, ela deixou a prancheta de Boomer de lado e as duas apertaram as mãos.

— Onde ele está? — perguntou Jennifer.

— Ainda recebendo tratamento — disse a mulher. — A minha assistente vai levá-la para vê-lo em um momento, mas eu queria falar com você antes.

O coração de Jennifer batia acelerado.

— Ele vai sobreviver?

– Por enquanto, sim – ela disse. – Mas temo que ele não esteja fora de risco. A doença da altitude pode atacar bem rápido, e um animal com CMH tem muito mais risco de complicações.

– Doença da altitude? – perguntou Jennifer, franzindo o cenho. – Você está dizendo que não é o coração dele?

– Primariamente não – disse a dra. Padilla. – Não neste caso, pelo menos.

Ela olhou para a prancheta.

– Eu vejo que vocês são de Chicago. Quando foi que você e o Boomer chegaram aqui em Holbrook?

– Ontem. Estamos em viagem na estrada.

– Sim, eu sei – disse a veterinária, espiando pela porta. – Vocês têm muitos fãs nessa região.

– Então você está me dizendo que tem alguma coisa no Arizona que causou os sintomas do Boomer?

– Não só no Arizona. Acho que ele deve ter tido sinais como letargia, náusea e irritabilidade logo depois que vocês saíram de Oklahoma. A diferença de altitude de Chicago para onde estamos agora é de mais de mil e setecentos metros. O coração de Boomer precisou se esforçar muito mais para distribuir oxigênio pelo corpo do que quando vocês começaram a viagem.

Jennifer começou a tremer.

– Ah, meu Deus! Eu o matei.

– Não – disse a dra. Padilla. – Boomer ainda tem algum tempo. Eu administrei dexametasona e acetazolamida, o procedimento padrão para tratar a doença da altitude em casos médios a moderados, e ele está recebendo oxigênio agora. Assim que ele for liberado, no entanto, você precisa levá-lo de volta ao nível do mar o mais rápido possível.

Jennifer concordou.

— Farei isso – ela disse, secando uma lágrima.

— E vai ficar um pouco caro, mas posso mandar também uma bolsa de pressão e oxigênio suplementar, se preferir.

— Isso seria ótimo. Não importa o preço, tudo bem.

— Muito bom. Eu a aconselho, no entanto, a ter alguém junto para monitorar a condição do Boomer enquanto vocês estiverem na estrada. Tentar dirigir e ficar de olho nele ao mesmo tempo pode ser desastroso para ambos.

Jennifer concordou. Nathan faria isso, ela pensou. Ele poderia ainda estar bravo com ela, mas amava Boomer. Não recusaria uma oportunidade de ajudá-lo.

— Tudo certo, então – ela disse. – Quando podemos partir?

— Vamos dar mais uma hora a ele, pelo menos. Boomer tinha um pouco de fluido nos pulmões quando chegou aqui. Gostaria de ter certeza de que isso já passou antes de deixar vocês irem.

— Me parece bom – disse Jennifer. – Assim eu tenho tempo de pegar as coisas no hotel e encontrar o meu copiloto.

Houve uma batida na porta e a veterinária assistente entrou.

— Você pode ver o Boomer agora.

Ele estava preso em uma mesa acolchoada, com uma máscara de oxigênio no focinho e uma sonda intravenosa na pata dianteira direita. Para um cachorro de grande porte, ele parecia terrivelmente pequeno e frágil ali. Jennifer se esforçou para não chorar.

— Ei, Boomie. Como você está?

Sua cauda balançou uma única vez e seu olhar se desviou.

Ela olhou para a assistente.

— Eu não achei que ele estaria sedado.

— Ele não está. Só cansado.

— Mas isso é normal? Ele parece quase deprimido.

– Pode ser. Animais também têm sentimentos. Assim que os remédios terminarem e o nível de oxigênio se estabilizar, ele deve ficar bem.

Jennifer se inclinou e beijou o topo de sua cabeça.

– Você fique aqui e seja bonzinho – ela sussurrou. – Volto logo. Vou buscar o Nathan.

CAPÍTULO 30

George, o gerente auxiliar, pareceu preocupado quando Jennifer entrou apressada pela porta da frente do hotel.

– O que aconteceu? Como está o Boomer?

– Ele está bem. Eles lhe deram medicação e agora ele está recebendo oxigênio. Eu preciso fazer as malas e sair daqui o quanto antes para levá-lo de volta ao nível do mar.

– Ele está com doença da altitude?

Ela tomou um susto.

– Sim. Como você sabia?

– Não passa uma semana sem que alguém por aqui tenha um episódio. Uma pena que não possamos dizer para ele respirar mais rápido. Costuma funcionar para a maioria dos humanos.

– Obrigada. Vou me lembrar disso.

Jennifer se apressou pelo corredor, pensando em todas as coisas que precisaria fazer antes de pegarem a estrada: empacotar as malas, encher o tanque de gasolina, pegar alguns sanduíches e água para beberem no caminho. Não muita. Ela queria fazer o mínimo de paradas. Mas, primeiro, precisava convencer Nathan a ir com eles.

– Você sabe se o senhor Koslow está no quarto? – ela perguntou.

– Ah, não, ele já foi embora.

Ela teve um sobressalto e seu coração disparou.

– O quê? Quando foi isso?

Os olhos de George dispararam pelo cômodo. Ele parecia um ratinho encurralado.

– Eu não sei. Logo depois que voltei do veterinário, acho. Um dos outros hóspedes lhe deu uma carona até a rodoviária.

A rodoviária! Ele dissera na noite anterior que poderia pegar um ônibus, mas ela não achou que ele partiria tão rapidamente.

– Ele disse para onde estava indo?

– Não, senhora. Só disse que você faria o restante do percurso sozinha e que ele precisava resolver algumas outras coisas.

Ela olhou pelo corredor. A porta do quarto de Nathan estava aberta, com um carrinho de camareira parado do lado de fora. Se ele fora para a estação havia tanto tempo assim, poderia já estar fora da cidade. Não havia tempo de fazer as malas e devolver o quarto. Ela precisava ir pra lá e ver se conseguia impedi-lo.

– Você pode anotar o endereço da rodoviária para mim?

– Claro, sem problemas.

Ele apanhou um pedaço de papel e uma caneta.

– Acho que não vou ter tempo de sair daqui antes da hora do *checkout* – ela disse. – Você pode reservar o meu quarto e me cobrar por mais uma noite?

George entregou a ela o endereço e sorriu.

– Não se preocupe, srta. Westbrook, eu reservo para você. Sem cobrar nada.

Jennifer pegou o pedaço de papel e correu para a picape. Quando ligou o motor, discou novamente o número de Nathan. Dessa vez a chamada caiu direto na caixa postal.

– Nate, é a Jen – ela disse ao ouvir o bipe. – Escute, o Boomer teve uma emergência e eu preciso da sua ajuda. Estou indo para a rodoviária agora. Se você ainda não foi embora, não embarque antes de eu chegar aí.

Quando ela desligou, viu a luz do próximo farol ficar amarela. Jennifer pisou no acelerador e avançou no instante em que ela ficou vermelha. Uma rápida espiada no retrovisor garantiu que a barra estava limpa. Ela sorriu e seguiu adiante. A rodoviária estava a apenas uma quadra de distância.

E Nathan não estava lá.

– Sinto muito, senhora. Não estou autorizada a fornecer o nome dos nossos passageiros.

A mulher de meia-idade, usando uma camisa azul, parecia sinceramente sentir muito, mas isso não tornava as notícias mais fáceis. Jennifer havia verificado os horários dos ônibus indo para o leste e para o oeste, na esperança de descobrir em qual direção Nathan tinha ido, mas ambos haviam partido na última hora e meia. Ela respirou fundo e sentiu seus lábios estremecerem ao explicar novamente sua situação. Será que a mulher do balcão não poderia burlar as regras só daquela vez?

– Eu queria poder ajudar – disse a mulher. – De verdade. Mas eu só poderia revelar esse tipo de informação para um membro da família. E, mesmo assim, precisaria de um documento com foto.

Os olhos de Jennifer se arregalaram. Um membro da família! Como ela não pensou nisso antes? O irmão de Nathan, Rudy, poderia saber para que lado ele foi. Ela sentiu vontade de beijar aquela mulher.

– Muito obrigada. Você foi de grande ajuda.

Rudy Koslow soou exatamente como se esperaria do diretor de *Putas Zumbis de Hollywood*. Conforme Jennifer lhe explicava a situação, ela podia ouvi-lo ofegante do outro lado da linha. Ela disse a si mesma que não deixaria aquele cara afetá-la. A verdade era que já tinha lidado com criaturas muito piores do que ele no passado.

– Eu não sei aonde aquele besta foi. Só sei que não está vindo para cá.

Se Nathan não estava a caminho de Los Angeles para ver o irmão, ela pensou, era muito provável que estivesse voltando para casa. E isso significava que ele estaria no ônibus na direção leste.

– Ele parecia bem abatido quando ligou – prosseguiu Rudy. – Ainda pior do que quando a Sophie o deixou. Você deve ser de tirar o fôlego.

Os lábios de Jennifer estremeceram. Como era possível que Nathan fosse irmão daquele babaca?

– Ele provavelmente deve ter ido para Chicago, então – ela disse. – Preciso voltar para a estrada. Obrigada. Agradeço a ajuda.

– Epa, epa, epa. Você vai atrás dele?

Ela respirou fundo e tentou se manter calma apesar do tempo curto. Ele era irmão de Nathan, no fim das contas.

– É o plano, sim.

Ele riu.

– Tudo bem, mas, quando você se cansar do meu irmãozinho nerd, me liga. Eu vou te mostrar o que é excitação de verdade.

Havia momentos, não muitos, pensou Jennifer, em que ter um passado turbulento valia ouro. Esse era um deles.

– Rudy, querido – ela sussurrou sensualmente. – Keith Richards uma vez bebeu champanhe de uma das minhas pantufas. Acredite, eu já tive muito mais excitação do que você poderia aguentar.

Havia uma nova atendente no balcão quando Jennifer retornou ao terminal, uma moça mais nova com um piercing no nariz e tatuagens que cobriam seu braço esquerdo. Quando Jennifer disse a ela que pretendia interceptar o ultimo ônibus que partira para Chicago, e o motivo, a garota se mostrou mais do que disposta a ajudar. Talvez fosse o anseio de quebrar algumas regras, pensou, ou talvez ela estivesse interessada em incluir seu próprio relato no "Por onde anda Boomer?", mas, de toda forma, Jennifer ficou agradecida pela ajuda.

– Ele deve ter pego o ônibus 1360, que saiu daqui cerca de uma hora e dez minutos atrás.

– Onde é a primeira parada?

– Gallup, Novo México.

Jennifer grunhiu. Gallup ficava a cerca de cento e cinquenta quilômetros de distância. Com as chuvas recentes, parte da interestadual ainda devia estar alagada. Ela nunca chegaria lá a tempo.

– Ah. Então não dá mais para alcançar.

– Não necessariamente. – A atendente apontou para um mapa no balcão. – O 1360 não deve chegar em Gallup por mais uma hora e meia, e ele fica parado lá por meia hora na estação. Se você se apressar, ainda pode encontrá-lo antes que parta para Albuquerque.

O coração de Jennifer saltitou.

– Isso é ótimo! Muito obrigada.

Enquanto corria em direção à picape, ela ligou para o consultório da dra. Padilla para avisar que buscaria Boomer um pouco depois do combinado. Então discou o número de Nathan. Mais uma vez, a chamada foi imediatamente para a caixa de mensagens. Com quem ele estaria tagarelando por tanto tempo? Jennifer deixou outra mensagem, dizendo que estava a caminho, e partiu.

– Parece que você tem outra chamada na linha – disse Sophie. – Não vai atender?

Nathan sacudiu a cabeça.

– Não. Da primeira vez que ela ligou, desligou assim que eu atendi. Não estou com cabeça para joguinhos.

– Mmm – ronronou ela. – O bom e velho Nate. Por que resolver um problema quando se pode ignorá-lo?

CAPÍTULO 31

Agora que não precisava mais se manter na Rota 66, Jennifer descobriu que os quilômetros passavam muito mais depressa do que antes. Por mais agradável que a viagem tivesse sido, as limitações impostas por ter que seguir a Estrada Mãe tinham sido um peso para seu progresso. Após uma rápida parada para abastecer, ela estava na rodovia e avançava rapidamente. A chuva havia cessado e o trânsito estava leve. Pela primeira vez naquela manhã, ela sentia que as coisas estavam funcionando do seu jeito.

Desejou que Nathan se apressasse e ligasse de volta. Jennifer sabia que ele devia estar bravo com a briga que tiveram na noite anterior, mas esperava que deixasse aquilo de lado pelo Boomer. Independentemente do que sentisse por ela, Jennifer não achava que ele daria as costas para o cachorro. Se ele ao menos ouvisse as mensagens, ou melhor, saísse do telefone, ela tinha certeza de que poderiam encontrar uma forma de trégua, pelo menos até levar Boomer para uma altitude segura. Ela discou seu número de novo, ouviu a gravação da caixa de mensagens e gritou.

— Nathan Koslow, saia desse maldito telefone!

Havia luzes à frente na estrada e cones estreitando a passagem para uma única pista. Ela desacelerou. Um aviso luminoso informava que havia lama e água na pista pelos próximos quinze quilômetros, reduzindo o limite de velocidade para setenta quilômetros por hora. Jennifer mordeu os lábios e fez uma conta rápida. Ela ainda poderia chegar a Gallup a tempo, mas seria apertado. Precisaria compensar a velocidade quando a estrada estivesse limpa.

Os quinze quilômetros seguintes foram excruciantes, e Jennifer se viu presa em uma fila de carros que andava a uma velocidade muito inferior à recomendada. Por mais de uma vez ela considerou sair da estrada para ultrapassar as tartarugas à frente, mas não estava disposta a levar uma multa, e não faltava muito mais. Então, finalmente, quando a estrada voltou a se abrir, seu telefone tocou. Jennifer o apanhou.

– Alô?

– Jen, é o Derek. Você está bem?

Ela encarou o telefone.

– É claro que estou bem. Por que você está me ligando?

– Alguém postou uma foto do Boomer na sala de emergência de um hospital para animais. Aconteceu alguma coisa com ele?

Jennifer grunhiu uma risada irônica. *O último desejo de Boomer* atacava novamente! Era como ter mil espiões à sua espreita.

– Estou bem, Derek. Desculpe não ter avisado quando liguei mais cedo. Boomer teve a doença da altitude e precisou ser levado ao veterinário. Ele ainda está lá, e eu estou na estrada tentando encontrar alguém para me ajudar a levá-lo de volta ao nível do mar.

– Tem algo que nós possamos fazer daqui?

– Não. Mas obrigada. Aviso quando ele estiver fora de perigo.

Jennifer desligou e olhou para o velocímetro. Sem perceber, ela tinha acelerado e já estava a quase cento e cinquenta quilômetros por hora. Ela tirou o pé do acelerador, esperando que não houvesse nenhum patrulheiro por perto.

Mas estava sem sorte.

O homem de chapelão ficou em seu carro de patrulha pelo que pareceram horas. Pesquisando a placa, Jennifer pensou. Para ter certeza de que ela não estava em nenhuma lista de procurados e perigosos. Os minutos se arrastaram, e ela podia sentir suas chances de encontrar Nathan se esvaindo lentamente. A parada em Gallup era muito curta, e deixar Boomer passar a noite na dra. Padilla não era uma opção. Assim que o cara terminasse de multá-la, ela teria que dar meia-volta e retornar. Apesar de sua determinação em segurar o choro, ela não conseguiu.

O patrulheiro saiu de seu carro e caminhou devagar na direção da picape, observando-a pela janela traseira, e então pelo espelho lateral, antes de parar do lado de fora de sua porta. Jennifer abaixou a janela, ainda soluçando fortemente. Ela sabia que devia estar parecendo uma tonta, e que ele devia pensar que ela era só mais uma moça chorona tentando evitar uma multa, mas não podia evitar. Aquilo era demais. Ela estava cansada de tentar parecer forte.

– Documento seu e do carro, por favor – disse ele, com a voz fria e sem emoção.

Jennifer apanhou os documentos e os entregou. Ele olhou para a foto na habilitação, olhou de volta para ela e o canto da sua boca se ergueu. *O que ele quer?*, ela se perguntou. Que ela piscasse para ele? Tentasse flertar para escapar da multa?

– Eu te conheço. Você é a dona do Boomer!

Jennifer ficou boquiaberta. Ela não ficaria mais chocada nem se ele batesse na cara dela.

– Certo. Como você...?

– Minha esposa e eu somos grandes fãs. Perdemos o nosso Bubba de câncer no mês passado e tem sido de grande ajuda compartilhar a história dele com os seus seguidores.

– Fico contente – ela disse, tentando secar as lágrimas do rosto. – Isso é muito legal.

Ele se inclinou e olhou para o banco de trás.

– Mas... Cadê o Boomer? Ele não...

– Não – disse ela, sendo tomada por uma nova enxurrada de lágrimas. – Ele teve a doença da altitude e está na clínica de emergência. Sinto muito ter ultrapassado o limite de velocidade, mas estava tentando alcançar o ônibus do meu amigo para ele me ajudar a levar o Boomer de volta ao nível do mar. Mas não acho que chego lá em tempo agora. Já não sei bem o que fazer.

O patrulheiro deu um passo atrás.

– Temo que você precise descer do seu veículo, senhorita – ele sorriu. – Vamos fazer uma corridinha.

O ônibus 1360, partindo de Holbrook, estava a oito quilômetros da fronteira do Novo México quando Nathan abriu seu computador e começou a redigir a última coluna que escreveria. Era irônico, ele pensou. Depois de um ano barganhando com o universo, implorando a Julia e oferecendo de tudo para recuperar a única coisa que dava sentido à sua vida, essa coisa estava agora ao alcance de suas mãos e ele descobriu que não a queria mais. Qual era o sentido de humilhar publicamente algumas pessoas para agradar outras? Ele dizia a si mesmo que fazia um serviço de utilidade pública, que as pessoas que ele atacava mereciam o que lhes acontecia, mas o que ele realmente estava fazendo era infligir dor na esperança de acabar com a própria dor. Em vez de amadurecer, de ganhar perspectiva e aceitar que a vida às vezes nos manda alguns desafios, ele teimosamente se manteve a criança esperta e sem amigos que perdera seu cachorro e agora queria que todos sofressem por isso. O problema era que ser a pessoa mais inteligente da sala não significava muito quando você afastava todo mundo.

Ele nunca devia ter aceitado a tarefa de Julia, e sabia disso agora. Nathan deixou que a perspectiva de recuperar sua coluna dominasse seus próprios instintos. É claro que Boomer estava doente! Que motivos Jennifer Westbrook teria para mentir sobre isso? Mesmo que a agência dela prosperasse com a popularidade de *O último desejo de Boomer*, teria sido um ganho pequeno comparado ao prejuízo quando fossem descobertos. Quanto mais ele pensava a respeito, mais se convencia de que as suspeitas de Julia eram baseadas em suas próprias noções preconcebidas sobre a Compton/Sellwood, e não na verdade sobre as alegações de Jennifer. Ele lhe perguntaria quando voltasse ao trabalho. Daria a eles algo sobre o que conversar enquanto recolhia seus pertences.

Desistir da sua coluna tornava mais fácil se demitir da *Tribuna* também. Sem a cenoura pendurada diante da própria face, Nathan podia ver o quão deslocado ele estava na vida de repórter do jornal. O tempo que passara com Jennifer e Boomer tinha lhe mostrado que seu coração não estava mais naquilo já fazia algum tempo. A coluna da qual ele tanto se orgulhava havia afiado seus piores traços de personalidade, mas aguçara suas habilidades como escritor e o forçara a cavar fundo para encontrar o final perfeito para cada frase, a palavra certa e a poesia nas coisas mais mundanas, fruto de seu dom literário, prazos apertados e limite de palavras.

Ele poderia trabalhar como freelancer, pensou, e talvez começar o livro sobre Boomer que Jennifer sugerira. Por hora, talvez até reescrevesse aquele roteiro para Rudy. Nathan sentia que estava parado no precipício de uma nova aventura, pronto para dar o salto que mudaria seu destino. Não havia como voltar atrás. Ou ele abria as asas para enfim planar, ou despencava de forma infame nas rochas abaixo. Por mais clichê que fosse, ele sentia que o amor o havia libertado.

E ele jogara tudo fora.

Nathan posicionou os dedos no teclado. Ele começaria com um pedido de desculpas, imaginou. A mea-culpa para uma infinidade de pecados. Ele fechou os olhos e tentou conjurar as palavras certas, as melhores, para dizer o que estava em seu coração. Conforme a sua concentração aumentava, ele sentia como se o mundo ao seu redor desacelerasse.

Ele abriu os olhos. Estava desacelerando.

Os freios rangeram e o ônibus trocou de pista até o acostamento. Pescoços viravam e passageiros murmuravam nos corredores. O que acontecera? Será que o motorista estava passando mal? Teriam um pneu furado? Nathan olhou pela janela e viu um brilho de luz azul. Talvez o motorista estivesse correndo muito, pensou. De qualquer forma, esse problema, qualquer que fosse, não tinha nada a ver com ele. Então retomou sua concentração.

O ônibus parou e as portas se abriram. Pelo canto dos olhos, Nathan avistou um patrulheiro caminhando decidido ao lado de sua janela, com o queixo firme, óculos de sol espelhados e ombros intimidadores, de forma a compensar o ridículo de seu chapéu. Mesmo sabendo que aquilo não tinha nada a ver com ele, Nathan se viu encolher no assento, como um aluno em uma tentativa de evitar ser chamado em aula.

O homem entrou no ônibus e trocou algumas palavras com o motorista, que acenou com a cabeça nervosamente. Então ele entrou pelo corredor, pôs as mãos na cintura e fez seu anúncio.

– Nathan Koslow está neste ônibus?

A primeira reação de Nathan foi olhar ao redor, como se outro Nathan Koslow pudesse estar sentado ali perto. Então, ao perceber a chance infinitamente pequena de isso ser verdade, ergueu a mão.

– Eu sou Nathan Koslow – ele disse, e viu que todos os rostos se voltaram em sua direção.

Havia mil perguntas em sua cabeça naquele instante. Por que ele estaria sendo chamado? O que tinha feito? Será que era por causa do livro da biblioteca que ele não devolvera na quinta série?

Então outra pessoa subiu no ônibus e todos os outros pensamentos desapareceram.

Jen?

– Pegue suas coisas, rapaz – disse o patrulheiro. – Tem um cachorro em Holbrook que precisa da sua ajuda.

CAPÍTULO 32

A reunião deles foi breve, como era necessário. Depois que Jen explicou a situação de Boomer, Nathan rapidamente concordou em levá-los até a Califórnia naquela noite. Nada foi dito sobre a discussão que precipitara tudo, mas o banco de trás de um carro de polícia não era o ambiente ideal para uma conversa pessoal. Quando Nathan procurou a mão de Jennifer para segurar, no entanto, ela não o evitou. Ele sorriu. Por agora, ao menos, os dois estavam bem o bastante.

Jennifer perdeu o fôlego quando viu Boomer. Ele parecia mais magro agora do que apenas algumas horas antes, e estava fraco demais para caminhar até a picape. Enquanto Nathan o carregava e o acomodava no banco de trás, ela perguntou à dra. Padilla sobre o prognóstico do cão.

– Eu também queria saber – disse a veterinária. – Essas coisas são difíceis de prever. A saturação de oxigênio dele está boa, mas o coração vai mal... ainda pior do que estava pela manhã, quando você o trouxe. Pode ser que a doença da altitude tenha feito mais mal ao músculo cardíaco dele do que eu imaginava. Sem mais exames, no entanto, é realmente difícil dizer o quão mal ele está, e fazer esses exames agora, no fim das contas, só tornaria mais desconfortável o pouco tempo que ele ainda tem. Meu conselho para você é o mesmo do dr. Samuels: mantenha-o confortável, aproveite enquanto pode e se prepare para o inevitável.

– Obrigada – disse Jennifer quando se abraçaram. – Por tudo.

– *Vaya com Dios* – respondeu a dra. Padilla. – Vá com Deus.

Jennifer sentou no banco traseiro com Boomer e gentilmente apoiou a cabeça dele em seu colo antes de fechar o cinto de segurança.

– Oi, Boomie. Pronto para ir à Califórnia? Brincar nas ondas de Santa Mônica como eu prometi?

Boomer abanou a cauda fracamente e lambeu sua mão. Jennifer segurou a orelha dele e esfregou entre os dedos, sentindo o pelo sedoso, na esperança de que ainda tivessem tempo. Nathan ligou o motor, e ela avistou seus olhos no espelho retrovisor.

– Obrigada. Eu não conseguiria fazer isto sem você.

– Obrigado por me chamar. Eu não teria perdido isso por nada neste mundo.

Ele levou a picape até a estrada e se encaminhou ao acesso da rodovia.

– Quanto tempo de viagem você imagina? – ela perguntou.

– Até Santa Mônica? Cerca de onze horas, mais as paradas.

Jennifer fechou o rosto. Muita coisa poderia acontecer em onze horas.

– E quanto tempo até sairmos da altitude?

– A dra. Padilla sugeriu que fossemos por Phoenix. Isso vai nos colocar a trezentos metros de altitude em três horas. Boomer vai se sentir melhor depois disso.

Ela concordou e olhou pela janela. Eles já estavam na estrada agora, e o mundo voava do lado de fora. Depois de viajar em um carro de patrulha, porém, até mesmo cento e vinte quilômetros por hora parecia lento.

— Sinto muito pelas coisas que eu te disse sobre o Dobry.

— Por quê? Você estava certa. Eu acho que tenho tentado machucar todo mundo desde que o perdi. É estúpido, eu sei. Como se fazer as pessoas se sentirem péssima fosse me ajudar a ficar melhor.

— Os sentimentos não são lógicos, principalmente quando se é criança.

— Sim, mas eu não sou mais criança.

Jennifer suspirou sem olhar para nada em particular e acariciou a cabeça de Boomer. Ela pensou no dia em que o adotou, um montinho elétrico de pelos dourados com olhos marrons caídos, envoltos em um sorriso permanente. Ele fora um bom filhote – fácil de treinar para usar o jornal, mortificado com os ocasionais acidentes, não destruíra muitos sapatos –, mas também tinha seus defeitos. Nunca soube andar junto dela – ou a puxava para a frente ou para trás –, e até mesmo os gatos amigáveis eram abominações que só serviam para se latir e perseguir até as árvores. Havia vizinhos, ela sabia bem, que não sentiriam falta dele.

— Eu comentei que liguei para a Sophie? – Nathan disse.

Ela sentiu o estômago revirar. *Sophie, o amor da vida dele até o ano anterior.*

— É mesmo? – ela perguntou. – Quando?

— Hoje de manhã, enquanto estava no ônibus.

Jennifer sentiu os lábios enrijecerem quando pensou em todas as vezes que suas chamadas foram encaminhadas para a caixa de mensagens, e no quanto tinha rezado para que ele saísse do telefone.

— Como ela está?

— Vai bem. Eu queria me desculpar pela forma como a tratei. No final, você sabe, eu fui bem horrível. Ela queria falar sobre a situação na época e eu só soube me esquivar. A relação de verdade já tinha acabado fazia tempo para mim, mas fui covarde demais para dizer isso. Quis pedir desculpas. Achei que devia isso a ela.

É claro que devia, pensou Jennifer. Era a coisa decente a se fazer. Então por que isso a fazia tão infeliz?

— Imagino então que vocês vão voltar?

— Sim, acho que sim. Mas só daqui a alguns meses. Depois que ela tiver o bebê.

Bebê?

Nathan olhou para ela e sorriu.

— Sophie se casou seis meses atrás. Não mencionei?

Ele começou a rir e Jennifer chutou as costas do seu banco, tomando cuidado para não incomodar Boomer.

— Não é de se estranhar que eu não tenha conseguido te ligar.

— Eu falei com minha mãe também – ele continuou. – Queria perguntar sobre o Dobry.

Jennifer retomou a seriedade.

— E como foi?

— Melhor do que imaginei. Essa história foi realmente o ponto de tensão da nossa relação desde que aconteceu. Uma coisa que você falou me fez pensar que era hora de superar isso.

— É mesmo? E o que eu disse?

— Você falou que ela provavelmente não queria se livrar dele também, mas não teve escolha. Eu, na verdade, nunca tinha pensado nisso, que ela pode ter sofrido tanto quanto eu. Achei que era tempo de esclarecer as coisas.

— E conseguiu?

— Sim. Acontece que, logo depois que o devolvemos para o abrigo, ela ficou pedindo para o proprietário para nos deixar ter um cachorro, ofereceu-se para cuidar das crianças ou limpar os outros apartamentos de graça quando as pessoas se mudassem, tudo para conseguirmos o Dobry de volta.

— Isso foi legal da parte dela. Uma pena que não tenha funcionado.

Nathan sacudiu a cabeça.

— Só que funcionou. O problema foi que, quando ela voltou ao abrigo para buscar o Dobry, ele já tinha sido adotado por outra família. Ela me disse que chorou por dias depois disso. Eu me lembro dela chorando, mas sempre pensei que fosse por causa do divórcio.

— Você nunca suspeitou?

— Não.

— Nate, isso é tão triste.

— Sim, nós dois choramos bastante por causa disso. Mas agora acabou, parece. Muito obrigado por me fazer perceber que eu não fui o único ferido nessa história.

Jennifer secou uma lágrima.

— Obrigada por me contar.

Ele olhou para ela pelo espelho.

— Você não ficou com ciúmes da Sophie, ficou?

Ela deu de ombros.

— Talvez um pouco.

— Bem, não fique. Eu disse a ela que meu coração já tem dona. Mas disse também que não tinha certeza se você iria me querer de volta.

Jennifer sentiu o coração se aquecer e sorriu.

— E o que ela disse?

— Ela disse que era justo.

Eles pegaram o jantar em um Subway em Phoenix e comeram na picape. Boomer torceu o nariz para a ração que Jennifer lhe ofereceu, mas se sentou e bebeu a água de sua tigela. Ela o observou preocupada.

— Ele já deveria estar melhor da doença da altitude agora — ela disse. — Por que não está comendo?

Nathan deu de ombros.

— Quem sabe? Talvez só esteja cansado.

— Ai, Nate. E se ele não melhorar? E se for a hora?

— Eu não sei, Jen. Você está me fazendo uma pergunta para a qual eu não tenho a resposta.

Ela concordou.

— Precisamos ir.

De volta à estrada, eles ainda tinham seis horas pela frente, seiscentos e vinte quilômetros. Quando o sol nasceu, Jennifer olhou para Boomer, implorando silenciosamente para que ele aguentasse firme. Ele precisava aguentar, não é? Não iria desistir tão perto do fim. Ela respirou fundo e tentou se acalmar. Lembrou-se da morte de seu pai. Sentada ao lado da cama, ela via seu peito subir e descer, cada vez mais lentamente, ofegante, até o último suspiro e então... nada.

Todo mundo morre. Todos nós. É o que fazemos com o nosso tempo que importa.

— Nate?

— Sim?

— Você acha que todos os cães vão para o céu?

— Boa pergunta. Acho que sinto o mesmo que o Will Rogers sobre isso.

— Que é...?

— Ele disse que, se não houvesse cães no paraíso, então quando ele morresse queria ir para onde eles iam.

Outra hora se passou. Os faróis que iluminavam a cabine da frente mal penetravam no banco de trás. Jennifer viu os raios de luz cruzarem o rosto de Nathan. Ela amava aquele homem? Queria amar, mas não tinha certeza. Estivera sozinha por muito tempo, o bastante para se tornar um hábito. A mudança era assustadora. Não mudar era assustador também. Como ela poderia decidir quando não havia uma escolha fácil a ser feita?

Boomer gemeu e se ajeitou no banco.

— Acho que o Boomer precisa de uma caminhada.

Nathan concordou.

— Quer que eu encoste?

Jennifer se moveu no banco também e sentiu a pressão em sua própria bexiga.

— Não, eu preciso ir ao banheiro também. É melhor encontrar um posto de gasolina.

Estava frio do lado de fora. Jennifer saiu da picape e ofegou. Depois de cinco horas com um cachorro quentinho em seu colo, a diferença de temperatura era gritante.

Nathan se aproximou e fixou a coleira de Boomer.

— Eu ando com ele — disse Nathan. — Você vai lá dentro.

— Posso te trazer alguma coisa? — ela perguntou, se esforçando para evitar que seus dentes batessem.

— Talvez um energético.

— Vou ver o que eles têm.

Jennifer se apressou para dentro e descobriu que, não surpreendentemente, o banheiro feminino estava ocupado. Ela podia esperar. Na saída, pegou alguns energéticos e um pacote de Oreo para a estrada. Comida de consolo de loja de conveniência.

Quando saiu, avistou os dois sentados no outro extremo do estacionamento. Nathan estava conversando com Boomer e apontava para algo no céu. Jennifer se aproximou devagar, querendo ouvir o que estava sendo dito, porém sem interromper o momento particular deles.

— Está vendo aquela estrela brilhante? — perguntou Nathan. — Aquela é Sirius, a estrela cachorro. Logo, logo você vai estar lá, Boomer, correndo e brincando com todos os outros cães e olhando para nós lá do alto daquela linda estrela brilhante.

O mundo ficou borrado. Jennifer cobriu a boca com a mão.

Não faça barulho. É importante.

A voz de Nathan estava embargada.

— Me faça um favor, Boomer? Se você encontrar o Dobry por lá, diga que eu nunca me esqueci dele e nunca deixei de amá-lo. Diga que... que ele foi o melhor amigo que eu já tive.

Jennifer sorriu e as lágrimas escorreram pelo seu rosto. É *claro* que ela amava aquele homem. Como não amar?

Boomer nunca chegou a surfar no píer de Santa Mônica. Apesar da medicação e do oxigênio suplementar oferecido pela clínica de emergência veterinária, o coração dele simplesmente não estava forte o bastante para aguentar. Nas primeiras horas da manhã, em um trecho solitário da rodovia leste de Cactus City, a respiração de Boomer ficou difícil, e o som tortuoso anunciou o inevitável fim. Jennifer pediu a Nathan para encostar o carro e se juntar a ela no banco de trás, no qual passaram os momentos finais de Boomer revivendo os pontos altos da viagem, revezando-se entre riso e choro. No fim, a previsão do dr. Samuels de uma morte indolor se concretizou. Um rápido enrijecimento dos membros e uma última e tranquila lufada de ar foram os únicos indicadores de que Boomer partira.

EPÍLOGO

O piso de madeira rangia sob os pés de Jennifer e Nathan enquanto andavam até o fim do píer de Santa Mônica. O Pacific Park estava fechado naquela temporada; a roda-gigante parecia um olho gigante, uma testemunha silenciosa da passagem deles. Alguns pescadores estavam sentados em cadeiras dobráveis, conversando bobagens e bebendo cerveja enquanto o sol se punha, com as varas apoiadas nas grades como sentinelas cansadas. Os olhares curiosos de estranhos se voltavam para eles e logo se afastavam.

Jennifer se aproximou das grades com uma caixa de sapatos nas mãos. A espuma do mar fazia redemoinhos nas pedras abaixo. O oceano inteiro era feito de areia, algas e água salgada. Ela respirou fundo e deu um passo para trás.

— É uma longa descida.

Nathan veio até o lado dela e olhou por cima da grade.

— Sim — ele disse. — Mas nada comparado ao quão longe o Boomer já veio.

Jennifer gentilmente acariciou a tampa da caixa, então a removeu e passou os dedos uma última vez pelos suaves cristais de vidro colorido.

– Quando fizermos isso, ele terá partido de vez.

Por um tempo, pareceu que o seu plano de espalhar as cinzas de Boomer no píer seria impossível. Cinzas de cremação provavelmente cairiam na corrente de ar e voariam para todos os lados se lançadas ao ar livre. Mas, novamente, a notoriedade de Boomer compensou.

Seguindo a sugestão de um dos seguidores de *O último desejo de Boomer*, suas cinzas foram misturadas com sílica e derretidas, e então transformadas em cristais indistinguíveis dos cristais marinhos encontrados em qualquer oceano do mundo. O peso dos cristais os levaria para o fundo do mar, onde eventualmente sofreriam erosão, e as cinzas estariam entre as ondas enfim. E se alguém pegasse alguns e levasse para casa, bem, também não seria um problema, pensou Jennifer. Boomer sempre gostou de fazer novos amigos.

– Parece tão estranho não ter um cachorro na minha vida.

Nathan concordou silenciosamente e Jennifer engoliu em seco, grata por seu apoio. Quantas vezes ela tinha dito isso nos últimos dois meses desde a morte de Boomer? Vezes demais, pensou, e ainda assim Nathan a ouvia sem reclamações; entendia que era do que ela precisava sem ter de ser comunicado nenhuma vez. A sua paciência significava mais para ela do que qualquer outra declaração de amor. Jennifer agora entendia o que Boomer havia sentido em Nathan Koslow. Ele era um homem para amá-la e respeitá-la se ela se dispusesse a confiar nele. Se Boomer de fato tinha um último desejo, ela pensou, era encontrar um amor para Jennifer.

– Podemos arranjar outro cachorro, se você quiser.

Ela sacudiu a cabeça.

– Eu nunca poderia substituir o Boomer.

— Não foi o que eu disse.

— Eu sei — ela disse. — Mas ainda é difícil. Ele era tão jovem. Acho que ainda estou de luto pelo tempo que ele não teve.

Nathan apontou para a caixa.

— Se você ainda não estiver pronta para deixá-lo partir...

— Não. — Ela sacudiu a cabeça. — É hora de seguir em frente. Eu sei disso. Só é... difícil.

Ele concordou e deu um passo para trás. Agora era com ela. Não havia mais nada a dizer.

Jennifer segurou a caixa sobre a água e a sacudiu lentamente, fazendo com que seu conteúdo caísse pela lateral. Uma cachoeira de cristais caiu silenciosamente por entre as ondas.

— Adeus, Boomie.

Quando ela fechou a caixa, Nathan passou o braço ao redor de sua cintura. Ela acenou com a cabeça.

— Vamos — disse Jennifer com os olhos brilhantes.

As gaivotas voavam sobre eles enquanto seguiam para o estacionamento. Conforme o sol se aproximava do horizonte, o ar esfriava e o vento ficava mais forte. Jennifer fechou seu casaco e colocou a mão livre dentro do bolso.

— Obrigada por vir comigo — ela disse. — Eu nunca teria conseguido sozinha.

Nathan chegou mais perto e beijou seu cabelo.

— Você não precisa mais ficar sozinha — ele disse suavemente. — Lembra-se? Na alegria e na tristeza, deste dia em diante?

Ela mordeu o lábio.

— Ainda não acredito que fizemos isso. Devemos ter enlouquecido.

— Foi o que o Rudy disse também, até conhecê-la. — Ele sorriu. — Agora ele diz que eu seria louco se não me casasse com você.

Jennifer olhou para ele.

— A Rainha do Gelo e o senhor Caneta Envenenada. Quem diria?

— Não éramos nós – disse Nathan. — Aqueles eram apenas os nossos disfarces para evitar que nos machucassem.

— E agora?

— Eu não vou te machucar. Não se eu puder evitar.

— A vida não tem garantias, aparentemente.

— Você tem razão – ele disse. — É melhor fazer valer o agora.

Essa era uma frase que tinha ganhado uma nova dimensão para eles nos últimos dois meses. A morte de Boomer os forçara a repensar suas vidas, e algumas mudanças que fizeram foram radicais e profundamente satisfatórias. O sucesso de *O último desejo de Boomer* levou as conquistas da carreira de Jennifer para o centro das atenções nacionais e, apesar de isso ter trazido à tona alguns episódios notórios de sua vida, eles não resultaram na vergonha pública que ela temia. De fato, aconteceu o contrário. Ela estava trabalhando com Derek Compton para criar sua própria agência, uma subsidiária da Compton/Sellwood, na qual ela teria mais controle sobre sua carga de trabalho.

Para Nathan, pedir demissão do seu emprego na *Tribuna* foi apenas o primeiro passo. Acontece que Jennifer não era a única fã de seus escritos, e, quando descobriram que ele estava escrevendo um livro sobre o Boomer, um amigo da faculdade o colocou em contato com um agente. Duas semanas depois, ele assinou um contrato para o livro.

A vida pessoal deles mudou bastante também. O lembrete de que a vida era muito curta para se passar preso ao passado fora a motivação de que eles precisavam para tomar aquela decisão, e, como já sabiam o que queriam, não fazia muito sentido adiar. Duas semanas depois de voltarem para Chicago, os dois entraram no cartório e se casaram. O garoto solitário de língua ferina e a viciada em trabalho de coração gelado encontraram um no outro a chave para se libertarem das prisões que eles mesmos se impuseram. Por ora, estavam vivendo na casa de Jennifer, mas já procuravam um lugar fora da cidade para sossegarem.

A poucos metros do fim do píer, eles pararam e olharam de volta para o oceano uma última vez. O sol já havia mergulhado bastante, formando faixas amarelas, laranja e vermelhas ao longo do horizonte. Jennifer repousou a cabeça no ombro de Nathan e suspirou.

– Acho que o Boomer vai gostar daqui.

Logo atrás, o piso de madeira rangeu e eles ouviram passos se aproximando.

– Algum de vocês quer um filhote?

Eles se viraram e avistaram um garoto de cerca de quatorze anos parado atrás deles. Havia uma caixa de papelão em seus braços com os dizeres: *Filhotes prontos para levar para casa*. No alto podiam ver uma bolinha amarela peluda e saltitante tentando se erguer para fora da caixa.

Nathan ouviu Jennifer respirar ofegante.

– Ai, ele é adorável, mas...

Ela deu um passo para trás balançando a cabeça.

Ele se aproximou, acariciou a cabeça suavemente arredondada, e o filhote se debateu ainda mais, lambendo e mordiscando os dedos de Nathan em um silencioso pedido de ajuda.

– Posso?

Sentindo que poderia fechar negócio com eles, o rapaz concordou empolgado.

– Vá em frente. Ele é muito amigável.

Nathan ergueu o filhote de dentro da caixa e gentilmente o embalou em seus braços, sentindo o cachorrinho tremer sob os pelos macios aveludados. *Tanta confiança*, ele pensou ao sentir a cauda abanar em uma cadência empolgada contra sua mão. *Somos todos como este filhote*, pensou, *cada um de nós. Dando nossos primeiros passos no mundo, e não pedimos mais do que uma palavra de gentileza ou um toque amigável.* Ele levou o cachorrinho ao peito e sentiu pena de todas as criaturas que passaram pela vida desesperançadas, e se considerou sortudo por ter enfim encontrado amor. Nathan afastou a cabeça e, por um momento, os enormes olhos castanhos do filhote o fitaram solenes. Então ele avançou e plantou um beijo na boca desprotegida de Nathan.

Jennifer chegou mais perto.

– Posso segurá-lo?

Nathan transferiu o montinho peludo para os braços dela e olhou de volta para o menino, que ainda segurava a caixa vazia e os observava esperançoso. Ele era uma cabeça mais baixo que Nathan. Seu cabelo loiro queimado caía sobre um dos olhos e os membros desengonçados com mãos e pés enormes diziam que ele ainda passaria por mais uma fase de crescimento.

– Ele já tomou todas as vacinas de filhote – disse, orgulhoso. – E também já faz as necessidades no jornal. Na maior parte das vezes.

– Quanto tempo ele tem? – perguntou Jennifer.

– Oito semanas.

Os olhos dela se arregalaram. Boomer morrera havia pouco mais de oito semanas. Nathan sorriu e sacudiu a cabeça.

– É só uma coincidência – ele sussurrou.

– Havia cinco filhotes nesta caixa – disse o rapaz. – Esse carinha aí é o último da ninhada.

Jennifer virou o filhote em suas mãos, o examinando por todos os ângulos.

– Ele parece ser parte golden retriever.

– Deve ser da parte do pai. A mãe é a nossa cachorra, Daisy, e ela é um labrador amarelo.

– Eu imaginei. Ele parece... – O queixo de Jennifer se enrugou. – Ele parece o meu antigo cachorro.

– E o meu – disse Nathan.

– É uma boa combinação – ela completou. – Esperto e com temperamento tranquilo.

Como se reconhecesse o elogio, o filhote esticou o pescoço e deu um beijo desajeitado na bochecha dela.

– O que você acha? – perguntou Nathan. – Ainda é cedo demais?

Ela deu de ombros.

– Não é isso. Eu sempre vou achar cedo demais, mas não seria melhor pegar um cachorro já crescido? Um filhote dá muito trabalho.

– Eu posso cuidar dele – disse Nathan. – Vou estar em casa trabalhando no livro. Vai ser bom ter uma desculpa para fazer uma parada, levá-lo para passear...

– Tirar o cocô, colocar jornal para ele...

– Um cachorro mais velho também precisaria disso, pelo menos por um tempo.

– Por favor, levem-no – implorou o rapaz. – Se vocês não levarem, minha mãe disse que bota ele na rua.

Jennifer suspirou e olhou para trás ao longo do píer. Nathan deu um ligeiro apertão em seu ombro.

– Eu não acho que o Boomer vá se importar – ele disse.

Uma buzina soou. Nathan olhou para o alto e viu uma van entrar no estacionamento. A mulher dentro dela estava abrindo a janela.

– Oh, oh – disse o garoto. – Aquela é a minha mãe.

Nathan olhou para Jennifer.

– Bem, o que você acha?

– Eu não sei – ela disse. – Quer dizer, eu não estava nem pensando...

– Dobry! – gritou a mulher da van. – Acabou o tempo. Ponha o filhote de volta na caixa e vamos embora.

Nathan sentiu Jennifer segurar em seu braço. Ele encarou o garoto de olhos castanhos que se estreitavam com o sorriso e o cabelo dourado quase da cor do cachorro.

– O seu nome é *Dobry*?

O garoto ergueu o queixo com um olhar desafiador.

– Sim, por quê?

– Era o nome que a minha *babcia* queria para mim, mas os meus pais... – Nathan deu de ombros. – É um bom nome.

– Sim, eu gosto que seja diferente. Então? – perguntou Dobry. – E o filhote?

Nathan olhou para Jennifer, que lhe deu um aceno encorajador, e os dois responderam juntos.

– Vamos ficar com ele.

Adorável heroína, de Michael Rigson e Susy Flory

Nenhum alarme soou no 78º andar da Torre Norte do World Trade Center e ninguém sabia o que tinha acontecido às 8h46 do dia 11 de setembro de 2001 – uma manhã que teria sido um dia normal de trabalho para milhares de pessoas.

Cego desde o nascimento, Michael também não via nada naquele dia, mas conseguia ouvir os sons de vidro estilhaçado, destroços caindo e pessoas aterrorizadas se reunindo em torno dele e de sua cão-guia. No entanto, Roselle permaneceu calma ao seu lado. Naquele momento, Michael escolheu confiar nos julgamentos de sua cachorra e não entrar em pânico. Eles eram uma equipe.

Adorável heroína possibilita ao leitor entrar no World Trade Center segundos após o ataque para vivenciar a experiência de um homem cego e de sua amada cão-guia na luta pela sobrevivência.

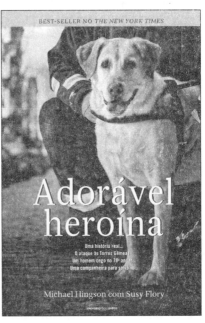

Os cães nunca deixam de amar, de Teresa J. Rhyne

Primeiro lugar no *The New York Times*. A emocionante história de uma advogada, seu cão adorável e um diagnóstico devastador...

Namorado novo, casa nova... Teresa Rhyne está tentando reestruturar sua vida depois de dois casamentos fracassados. No entanto, pouco tempo depois de ter adotado Seamus, um beagle totalmente incorrigível, os veterinários atestam que o cãozinho tem um tumor maligno e menos de um ano de vida. O diagnóstico deixa Teresa devastada, mas ela decide lutar e aprender tudo que está ao seu alcance sobre o melhor tratamento para Seamus. A bem-sucedida advogada não tinha como saber, naquele momento, que estava se preparando para o próximo grande obstáculo de sua vida: um diagnóstico de câncer de mama.

Na luta pela sobrevivência, batalhando contra uma doença mortal e abrindo seu coração para um relacionamento que parecia fadado ao fracasso, Teresa aprende com Seamus o verdadeiro significado da palavra "amor". Uma história edificante e inspiradora sobre como um cachorro pode roubar nossos corações, nos mostrar como viver e nos ensinar a amar.

Eles sempre estarão ao seu lado, de Teresa J. Rhyne

O que levaria uma advogada amante de queijos e carnes a se tornar vegana? O amor por seu cãozinho...

Teresa Rhyne e Seamus, seu beagle, sobreviveram ao câncer uma vez, então, quando Seamus desenvolve outro câncer, Teresa embarca em uma intensa jornada de mudanças e experimenta um estilo de vida mais saudável para sua família. E tenta encontrar a si mesma em algum ponto entre "hippie que usa saia de cânhamo" e "hipócrita salto-alto de couro".

Quando ela se depara com outros dois cachorros que precisam de ajuda – incluindo um que foi resgatado de testes com animais – virar as costas parece impossível depois de toda a crueldade que ela descobre.

Os gatos nunca mentem sobre o amor, de Jane Dillon

A história da gata que tocou o coração de um garotinho...

Lorcan Dillon tinha sete anos quando sua mãe, Jane, ouviu-o dizer "eu te amo" pela primeira vez. As palavras não foram dirigidas a ela, mas à Jessi, seu bichinho de estimação. Lorcan é autista e sofre de mutismo seletivo, uma condição que o impossibilita de falar em determinadas situações, tornando-o incapaz de expressar emoções verbalmente. Ele nunca disse que amava alguém, mas tudo isso começou a mudar com a chegada de uma gatinha filhote chamada Jessi.

Os gatos nunca mentem sobre o amor é a história tocante sobre como o afeto e a atenção de uma companheira amorosa possibilitou que um menininho começasse a se comunicar com o mundo que o cerca.